INVESTIMENTOS
Mauro Halfeld

COMO ADMINISTRAR MELHOR SEU DINHEIRO

2010, Editora Fundamento Educacional Ltda.
Reimpresso em 2017.

Editor e edição de texto: Editora Fundamento
Capa e editoração eletrônica: Commcepta Design
CTP e impressão: SVP – Gráfica Pallotti

Todos os direitos reservados. Nenhuma parte deste livro pode ser arquivada, reproduzida ou transmitida em qualquer forma ou por qualquer meio, seja eletrônico ou mecânico, incluindo fotocópia e gravação de backup, sem permissão escrita do proprietário dos direitos.

Dados Internacionais de Catalogação na Publicação (CIP)
(Câmara Brasileira do Livro, SP, Brasil)

Halfeld, Mauro
   Investimentos: Como administrar melhor seu dinheiro / Mauro Halfeld ;
– São Paulo – SP : Editora Fundamento Educacional Ltda., 2010.

   1. Finanças Pessoais – Brasil. I. Título.

01-1628   CDD-332.678

Índices para catálogo sistemático:
1. Dinheiro : Administração : Economia CDD 332.678

Fundação Biblioteca Nacional

Depósito legal na Biblioteca Nacional, conforme Decreto n.º 1.825, de dezembro de 1907.
Todos os direitos reservados no Brasil por Editora Fundamento Educacional Ltda.

Impresso no Brasil

Telefone: (41) 3015 9700
E-mail: info@editorafundamento.com.br
Site: www.editorafundamento.com.br

Este livro foi impresso em papel couché 115 g/m² e a capa em papel-cartão 250 g/m².

Aos meus adoráveis tios,
Pedro Wilson (*in memoriam*) e Ilka

Sumário

Apresentação	7

Qual é o seu horizonte?   8

"Nunca me sobra dinheiro para poupar..."	9
Você também pode ser um milionário?	12
Qual seu horizonte de tempo?	15
Mas o brasileiro ganha tão pouco, como pode pensar em poupar?	16
O que acontece com as pessoas criadas em orfanatos?	18
Educação – a chave para o sucesso	19

Você consegue poupar?   21

Por que as pessoas não conseguem poupar?	22

Os cuidados ao comprar imóveis   26

Investir em imóveis implica riscos	28
Imóveis industriais	36
Imóvel para residência ou para investir?	37
Pague uma consulta a um perito	38
Construir a própria casa	39
Custos de transação elevados	39
Devo comprar ou alugar minha residência?	40
"Pagar aluguel é jogar dinheiro fora?"	40
"Se os aluguéis estão baixos, posso deixar o imóvel desocupado..."	42
Investimento sem apoio de metodologias científicas	42
Vantagens do investimento em imóvel	42
Vale a pena investir em imóveis?	43

Por que tantas pessoas perdem nas bolsas?   44

Evandro e seu primeiro negócio com ações	45
Os equívocos de Evandro	48
Como (não) começar a investir em ações?	49
É bom negócio investir em ações	50
Mas é possível vencer o Ibovespa, a longo prazo?	55
Por que tantas pessoas perdem dinheiro na bolsa?	56
Devo investir em ações?	57

Perdendo o medo de investir em ações   58

Afinal, o que é uma bolsa de Valores?	59
Como o mercado de ações pode ajudar a desenvolver as empresas brasileiras?	60
Então as empresas não ganham nada com os negócios em bolsa?	60
Por que as ações podem ser um excelente investimento a longo prazo?	61
Bom demais para ser verdade! Como enfrentar a volatilidade?	63
Quanto tempo levou para a bolsa recuperar seu valor em dólar depois das maiores quedas?	66
Crise = oportunidade?	66
Como foi o crash de 1929?	67
Os brasileiros têm medo de comprar ações...	69
Investir na bolsa é como jogar em um cassino?	70

Os analistas acertam sempre?	72
Seria possível ganhar do Ibovespa?	72
Bolsa é para o longo prazo; não dê ouvidos às crises...	74
Investir para o longo prazo não significa deixar suas ações trancadas em um baú	74
Como comprar ações?	76
Devo investir em ações diretamente ou em fundos?	77

Os prazeres e os riscos dos negócios próprios — 78

Mas por que negócios próprios são arriscados?	79
Investir em negócios próprios é mais arriscado do que investir na bolsa?	79
Como reduzir o risco do investimento em pequenas empresas?	81
É possível eu fazer uma carteira de investimentos em microempresas com meu dinheiro?	81
E se eu fosse o sócio controlador de várias pequenas empresas?	82
Mas sou um empreendedor nato. O que devo fazer?	82

Como administrar riscos — 84

O que é risco de um investimento?	84
Quais são os tipos de riscos?	85
Falta de liquidez é muito ruim, mas excesso de liquidez pode não ser bom.	90
O excesso de liquidez das bolsas de valores pode ser um problema?	90
Vale a pena investir em dólares?	94
O ouro consegue vencer a inflação?	95
O risco varia com o tempo?	95
Qual a relação entre risco e retorno dos investimentos?	96
Como devo fazer para enfrentar esses riscos?	97

Quando você pode se aposentar? — 101

A importância de começar cedo e de assumir riscos calculados	101
Mas onde vou conseguir uma taxa de 15% ao ano?	103
Pague-se primeiro. Poupe, pelo menos, 10% de seus rendimentos	106
Previdência privada	107
Quais os tipos de previdência privada?	108
Vale a pena fazer um plano de previdência privada?	110

A mágica dos cálculos financeiros — 111

Por que existem juros?	111
O que você prefere: receber R$ 100 hoje ou R$ 100 daqui a um ano?	112
Como eu calculo juros?	113
O que são juros sobre juros?	113
Qual o segredo dos juros compostos?	116

Dívidas e renda fixa — 121

"Quem não faz dívidas não progride"	122
Quando é interessante tomar crédito?	123
Qual o risco da renda fixa?	124
Mas por que a caderneta de poupança acabou pagando tão pouco nos últimos 35 anos?	125
Quando vale a pena aplicar em renda fixa?	125

Em que casos a renda variável é mais indicada do que a renda fixa? 126
Como investir em renda fixa? 126
É verdade que o CDI rendeu tanto quanto o Ibovespa, com menos risco? 127

Para onde está indo seu dinheiro? 130

Vamos fazer um Balanço Patrimonial para Paula 130
O que é Balanço Patrimonial? 132
O que é Ativo? 132
O que é Passivo Exigível? 133
O que é Patrimônio Líquido? 133
Para onde está indo o seu dinheiro? 134
Análise do Balanço Patrimonial 137
O que Paula está fazendo corretamente? 139
O que Paula está fazendo errado? 139
Quais devem ser os objetivos de Paula a curto prazo? 140
E a longo prazo? 140
"Agora eu posso controlar meu dinheiro…" 140

Como atingir a independência financeira? 141

Primeiro passo: ganhe mais dinheiro 141
Segundo passo: poupe 142
Terceiro passo: evite ter dívidas 142
Quarto passo: invista corretamente 142
Quinto passo: tenha sua casa própria 143
Sexto passo: faça seguro de vida e seguro-saúde 143
Sétimo passo: permita que você "coma algumas cenouras" ao longo da caminhada 144
Oitavo passo: busque adquirir intensamente educação financeira 144
Nono passo: se precisar, contrate a ajuda de um *personal advisor* 144
Décimo passo: entenda que o dinheiro é apenas um meio, não o fim em si mesmo 145

Apêndice — Análise fundamentalista 146

Quem são os credores e o que eles desejam? 147
Como são calculados os lucros? 148
E onde são aplicados todos esses recursos? 150
Por que só 27% do lucro foram distribuídos sob a forma de dividendos? 153
Mas quanto vale a empresa? 154
O que é custo de capital? 155
Indicadores contábeis 155

Glossário 161

Leituras recomendadas 165

APRESENTAÇÃO[1]

Este livro pretende contribuir para que você tenha melhores condições de gerenciar sua vida financeira. Em minha carreira de professor universitário, tenho tido a oportunidade de conviver com pessoas muito inteligentes e bem informadas. Entretanto, percebo que nossas escolas têm deixado uma grande lacuna na formação dos cidadãos brasileiros.

Muitos médicos, dentistas, advogados, engenheiros e jornalistas nunca tiveram a oportunidade de conhecer os princípios de administração, de contabilidade ou de matemática financeira. Essas pessoas, embora sejam muito bem capacitadas profissionalmente, acabam equivocando-se diante de decisões sobre dinheiro. Nesse sentido, procurei enfrentar o desafio de escrever sobre um assunto tecnicamente complexo, mas em uma linguagem simples.

Sou muito grato aos meus ex-alunos e aos colegas da USP e UFPR, com quem pude discutir e aperfeiçoar as idéias contidas nesta obra.

Agradeço também aos amigos que fizeram revisões e deram-me contribuições muito valiosas.

A propósito, gostaria de conhecer suas impressões sobre o livro. Assim que puder, entre em contato comigo, através do e-mail mauro@halfeld.com.br

---

1. O autor agradece à FAPESP, programa # 1997/5198-9 e à **Economática**.

Capítulo 1

Qual é o seu horizonte?

"Ficar rico não é um objetivo de vida, mas um meio de viver bem."
Henry Ward Beecher

Dinheiro é um meio de trocas. Com isso, os homens podem dedicar-se a poucas atividades, especializando-se naquelas em que são realmente competentes, sem preocupar-se com as demais. Uma dentista, por exemplo, após anos de estudo e de prática, oferece um importante serviço à sociedade. Entretanto, ela não mais terá tempo para levar seus filhos ao colégio. Assim, passa a utilizar os serviços de um motorista. Esse interessante meio de trocas foi muito importante para o incrível desenvolvimento de nossa sociedade.

O dinheiro é também uma importante reserva de valor. A natureza nos impõe uma fase de declínio na capacidade de trabalho. Aos 60 anos, poucos de nós estaremos capacitados a trabalhar no mesmo ritmo que tínhamos aos 30. Esse desafio natural requer a reserva de uma substancial quantia em dinheiro, para que possamos custear as despesas da velhice.

Muitos de nós vivemos grandes conflitos no processo de obtenção de dinheiro. Algumas pessoas acreditam que tudo será resolvido se ficarem ricas. Outras, em oposição, desprezam o dinheiro ou tratam-no como algo menor.

"Nunca me sobra dinheiro para poupar..."

Caso

Outro dia, em uma palestra na universidade, discuti algumas questões com o público.

André, um aluno presente à grande sala de conferências, 21 anos, estudante de Administração de Empresas, trabalha desde os 17 anos. Hoje, ele é assistente do superintendente de um conhecido banco, em São Paulo. Seu salário bruto, R$ 2.000,00. André já conseguiu comprar um carro zero. Apesar de dirigir um simpático automóvel vermelho, com apenas um ano de uso, no valor de R$ 40.000,00, ele reclama do salário e diz que já não lhe sobra mais nada no fim do mês.

Vamos fazer um rápido cálculo na Figura 1.1, para ver quanto o carro consome da renda do André:

Figura 1.1   Análise econômica do gasto médio de um automóvel, com um ano de uso, no valor de R$ 40.000,00.

	Por Mês	Por Ano
Seguro (5% ao ano)	R$ 167	R$ 2.000
IPVA (3% ao ano)	R$ 100	R$ 1.200
Estacionamento	R$ 300	R$ 3.600
Manutenção	R$ 200	R$ 2.400
Depreciação Prevista (10% ao ano)	R$ 333	R$ 4.000
Custo de Oportunidade (6% ao ano)	R$ 200	R$ 2.400
Multas e Eventualidades	?	?
Total	**R$ 1.300**	**R$ 15.600**

Isso mesmo. André compromete 65% de seu salário bruto com o automóvel!

Não considerei o custo do combustível porque André, de qualquer forma, teria despesas de transporte com ônibus, metrô ou gasolina para um outro carro.

Conceitos

Depreciação: é a desvalorização do bem em função do uso e da obsolescência.

Custo de oportunidade¹: é um dos mais importantes conceitos de Economia. Você está diante de duas alternativas de investimento para seu dinheiro: A ou B. Digamos que você tenha escolhido a alternativa A. Custo de oportunidade é o quanto você estaria ganhando na alternativa que abandonou. É como se você estivesse perdendo uma oportunidade ao deixar de investir em B. André, ao comprar o carro, deixou de investir o dinheiro na poupança. Seu custo de oportunidade é o rendimento da poupança sobre o capital que ele usou na compra do carro.

Depreciação e custo de oportunidade são esquecidos, em algumas análises financeiras, porque não saem do seu bolso em um primeiro instante. Entretanto, na hora em que você for vender o carro, sentirá na pele as conseqüências. Sugiro que você deposite, mensalmente, em um fundo de renda fixa, o valor estimado para a depreciação de seu carro. É um interessante exercício.

---

1. Custo de oportunidade é o quanto André está deixando de ganhar em outra alternativa. No exemplo, ele poderia estar recebendo em um fundo de renda fixa 0,5% a.m. acima da inflação sobre os R$ 40.000,00.

Suponha que André troque de carro a cada 4 anos, mantendo os R$ 1.300,00 como comprometimento médio mensal com o automóvel. Os R$ 1.300,00 mensais, se investidos em uma aplicação financeira, oferecendo 0,5% de juros reais por mês, irão valer:

Em 10 anos	R$ 213.043
Em 20 anos	R$ 600.653
Em 30 anos	R$ 1.305.869
Em 40 anos	R$ 2.588.937

Sinta a força do acúmulo de juros no longo prazo! A transformação de R$ 1.300,00 por mês em mais de R$ 2,5 milhões, além da correção pela inflação, deve-se à "Mágica dos Juros Compostos". Mensalmente, os juros são incorporados ao capital e passam a render juros novamente. Os famosos "juros sobre juros". Um santo milagre quando estamos poupando, e um sério obstáculo quando estamos endividados!

O exemplo de meu aluno André é estimulante. O sacrifício de poupar R$ 1.300,00 por mês pode significar uma renda de R$ 12.944,68[2] na velhice, mantendo intocável aquele capital no Banco.

Alternativamente, se André aceitasse correr um risco maior nas aplicações financeiras e passasse a obter rendimentos maiores, seus R$ 1.300,00 mensais iriam formar uma grande fortuna. Assim, ele poderia se aposentar bem mais cedo.

Rendimento Mensal (acima da inflação)	Valor Acumulado em 40 Anos (protegido da inflação)
0,7%	R$ 5.098.630
1%	R$ 15.294.204

---

2. R$ 2.588.937,00 × 0,5% = R$ 12.944,68

Muitos só sentem o custo de oportunidade quando, na fase madura, depois de terem trabalhado mais de 30 anos, percebem que acumularam um patrimônio muito pequeno. Acontece que perderam a oportunidade de colocar o dinheiro para trabalhar para eles, ou seja, perderam a oportunidade de usufruir dos rendimentos de juros, aluguéis ou de dividendos que os bons investimentos proporcionam.

De qualquer forma, trata-se de uma escolha. Escolher é renunciar. É quase impossível ter tudo ao mesmo tempo. André pode preferir curtir ao máximo o presente, ignorando as necessidades do futuro. Ele vai precisar de muita sorte depois.

Algumas famílias de classe média ou alta possuem dois, três ou quatro carros. Vale observar se alguns desses veículos não estão sendo subutilizados. Um corte nesse item pode trazer enormes benefícios financeiros ao longo de alguns anos.

Estou ciente dos graves problemas de transporte público, no Brasil. O carro é ferramenta de trabalho para muitos. Minha mensagem aqui é: procure avaliar a real necessidade de ter um automóvel sofisticado. Alguns profissionais têm necessidade de ser aceitos em seu meio e fazem do veículo um passaporte para isso. Mas tenha consciência dos custos e dos benefícios que tudo isso representa.

Você também pode ser um milionário?

Você viu, no exemplo do André, que teoricamente é muito fácil ser um milionário. Mas, na prática, por que os milionários são minoria no mundo e, em particular, no Brasil?

Há poucas pesquisas sobre o assunto. Creio que nós, seres humanos, temos, naturalmente, uma grande dificuldade em poupar. Nossos antepassados, na Pré-História, consumiam tudo o que conseguiam obter nas caçadas. Eles não dispunham de refrigeradores. A possibilidade de não ter o que comer no dia seguinte fazia com que devorassem o máximo que podiam para manter nos tecidos adiposos as reservas de energia.

Nossa civilização mudou muito e, hoje, dispomos não só de refrigeradores como de diversas formas de guardar dinheiro. A Internet já se propõe a revolucionar o sistema financeiro, reduzindo, substancialmente, os custos dos bancos e das corretoras de valores. Entretanto, parece que nós ainda mantemos conosco o mesmo instinto de nossos antepassados. Desejamos ardentemente consumir tudo *hoje*.

Experiências com crianças[3] têm revelado vantagens para aquelas que conseguem dominar os instintos naturais. Trabalhou-se com um grupo de crianças de 4 anos, que foram isoladas em uma sala especial. Deu-se um doce para cada uma e um instrutor passou-lhes a seguinte orientação:

– Você pode comer esse doce a qualquer momento. Mas, se esperar até que eu volte em poucos minutos, você vai ganhar um segundo doce.

O instrutor deixou a sala, e as crianças começaram a ser observadas através de uma janela de vidro. Algumas devoraram seu doce imediatamente. Outras conseguiram resistir por alguns minutos, mas logo renderam-se à tentação e também comeram o doce. Poucas conseguiram esperar pela volta do instrutor, que as gratificou com um segundo doce.

O resultado de cada criança foi registrado, e o comportamento delas passou a ser monitorado daí em diante. Após alguns anos, observou-se que as crianças que tinham resistido à tentação e esperado a volta do instrutor para receber o segundo doce apresentavam melhor desempenho na escola. Eram as mais populares entre os colegas, tinham maior autoconfiança e demonstravam ser mais responsáveis. Adicionalmente, constatou-se que elas conseguiram obter entre 20% e 25% a mais no exame SAT[4].

A Figura 1.2 mostra que existem diferentes maneiras para você ser um milionário aos 65 anos. Observe que é muito importante começar a poupar cedo. Imagine que deseje se aposentar aos 65 anos. Se começar a fazer depósitos a partir dos 20 anos, precisará desembolsar apenas R$ 7 por dia. Se o início for aos 30 anos, vai precisar de R$ 16 por dia. Começando aos 40 anos, é mais difícil: são necessários R$ 37 por dia. Aos 60, é praticamente impossível: R$ 467 por dia.

---

3. SEIGLE, Mario. *Is Intelligence the Most Important Factor for Success?* The Good News. May, 1996.
4. SAT é um exame muito utilizado nos EUA para selecionar alunos para as universidades.

Figura 1.2 Poupança por dia para atingir 1 milhão de reais aos 65 anos
(Rentabilidade de 8% ao ano acima da inflação)

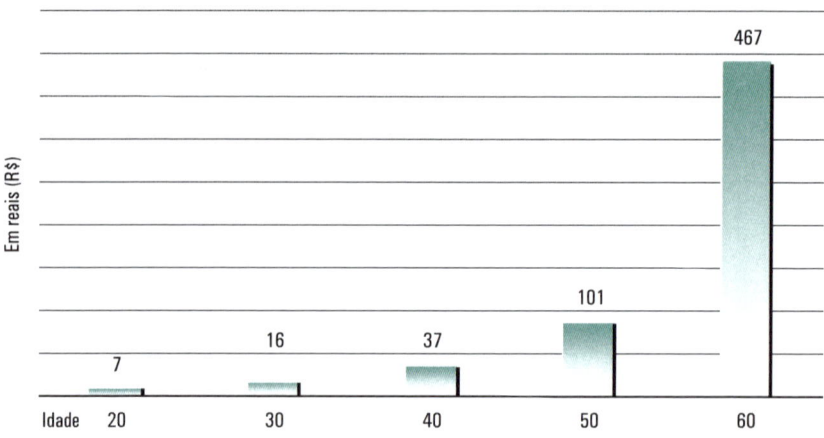

Mas, se é tão simples assim, por que você não conhece tantos milionários com 65 anos? Primeiro, porque poucos colocam em prática esse modelo; conheço poucos jovens de 20 anos que realmente poupam R$ 7 por dia ou R$ 210 por mês. Segundo, porque obter 8% a.a., acima da inflação, ao longo de décadas, não é trivial. A caderneta de poupança, por exemplo, pagou uma média de 0,74% a.a., acima da inflação pelo IGP-DI, nos últimos 39 anos. Se você for conservador e investir apenas em caderneta de poupança, não vai atingir o sonhado milhão da Figura 1.2. Note que ela foi elaborada supondo-se um rendimento de 8% a.a. Contando só com os 0,74% a.a. de juros reais da caderneta de poupança, o valor acumulado, aos 65 anos, será de apenas R$ 133.981,52.

Você está, novamente, diante de uma escolha. Se for conservador e optar por investir apenas em caderneta de poupança, vai ter uma aposentadoria mais modesta ou vai precisar se esforçar muito para juntar dinheiro ao longo da vida. No exemplo da Figura 1.2, se considerarmos um rendimento de 0,74% a.a, o jovem de 20 anos terá que poupar R$ 52 por dia, não apenas R$ 7, se realmente desejar ter R$ 1 milhão, aos 65 anos, em seus investimentos na caderneta de poupança. Uma pessoa, com 30 anos, vai precisar juntar R$ 70 e não apenas R$ 16. Essa é a diferença entre obter 0,74% a.a. na caderneta de poupança ou 8% a.a. em investimentos mais arriscados, como imóveis, ações ou negócios próprios. Não basta poupar; é preciso aprender a investir...

Qual seu horizonte de tempo?

Caso

Na semana passada, Roberta, uma jovem jornalista, perguntou-me qual seria uma boa aplicação para suas reservas financeiras a médio prazo. Perguntei-lhe o que significava médio prazo.
— Dois ou três anos — respondeu-me.
— Mas, Roberta, se você tem 22 anos e pretende aposentar-se aos 62, você tem um horizonte de tempo de 40 anos para construir uma poupança. Seu conceito de médio prazo deveria ser algo próximo a 20 anos, não?

Se você tivesse 31 anos e desejasse se aposentar aos 61, você teria um horizonte de 30 anos. Nesse sentido, médio prazo significaria algo entre 10 e 20 anos. Longo prazo seria um período além de 20 anos. Todo intervalo inferior a 10 anos seria curto prazo. Surpreso? Isso mesmo. Um investimento de 4 anos seria um investimento de curto prazo para você!

Mas por que, no dia-a-dia, muitos de nós consideramos que investimentos com mais de um ano já sejam de "longo prazo"? Certamente porque as altas taxas de inflação, vivenciadas entre 1980 e 1994, levaram-nos a olhar exageradamente para os números do curto prazo, causando-nos uma miopia. Temos uma enorme dificuldade em olhar o que está distante de nós. Não conseguimos elaborar projetos com longo prazo de maturação. Vivemos em constante estresse por conta disso.

Mas vamos tentar mudar a situação. E não vamos precisar de óculos.

Na Figura 1.3, temos a representação do ciclo da vida financeira de uma pessoa. Observe que, na juventude, entre 20 e 50 anos, ela deve definir seus objetivos, poupar disciplinadamente, assumir conscientemente riscos e não se esquecer de fazer seguros de vida e de saúde, principalmente se ela já tem dependentes. Entre 50 e 65 anos, a pessoa deve adotar uma postura mais conservadora, evitando correr riscos. Ela não teria tempo para se recuperar de uma eventual perda nos investimentos. Tendo obedecido às orientações anteriores, após os 65 anos a pessoa poderia aproveitar a aposentadoria confortavelmente.

A Figura 1.4 exibe o ciclo da vida financeira de um brasileiro. Note que, após os 45 anos, ele começa a ganhar menos em seu trabalho. Entretanto, o brasileiro começa a ter uma renda não oriunda do trabalho para compensar aquela perda. Essa renda origina-se de rendimentos da caderneta de poupança, aluguéis etc. Tal complementação só é obtida pelos que poupam na juventude.

Mas o brasileiro ganha tão pouco, como pode pensar em poupar?

A grande maioria dos brasileiros ganha muito pouco. Vivemos em um país com uma das piores distribuições de renda do mundo.

Entretanto, tenho tido a oportunidade de fazer palestras para comunidades carentes. Percebo que são muitos os exemplos de pessoas humildes que conseguem acumular patrimônios invejáveis. Qual o segredo?

Empregar bem o tempo livre.

Muitas pessoas pobres, que precisam aumentar seus rendimentos, logo pensam em arranjar um serviço extra, trabalhando, por exemplo, nos fins de semana. Garçons, seguranças, babás, cozinheiras são profissionais muito requisitados nos sábados e domingos. E o esforço extra, ainda que por alguns anos, torna-se muito recompensador.

Figura 1.3   Ciclo da vida financeira[5]

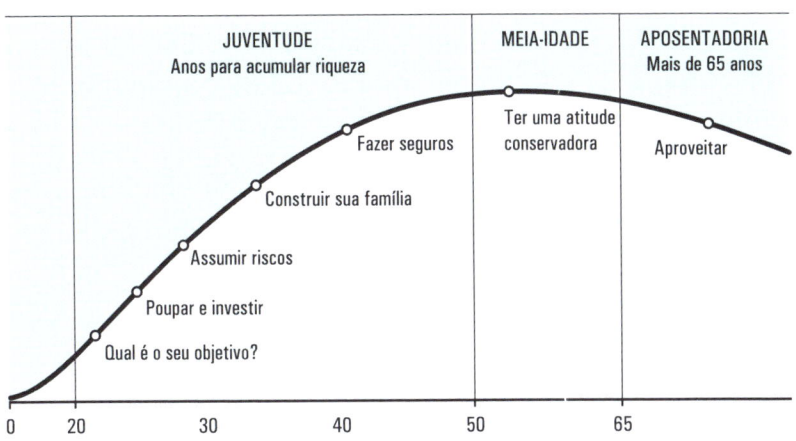

Figura 1.4   Ciclo da vida financeira do brasileiro

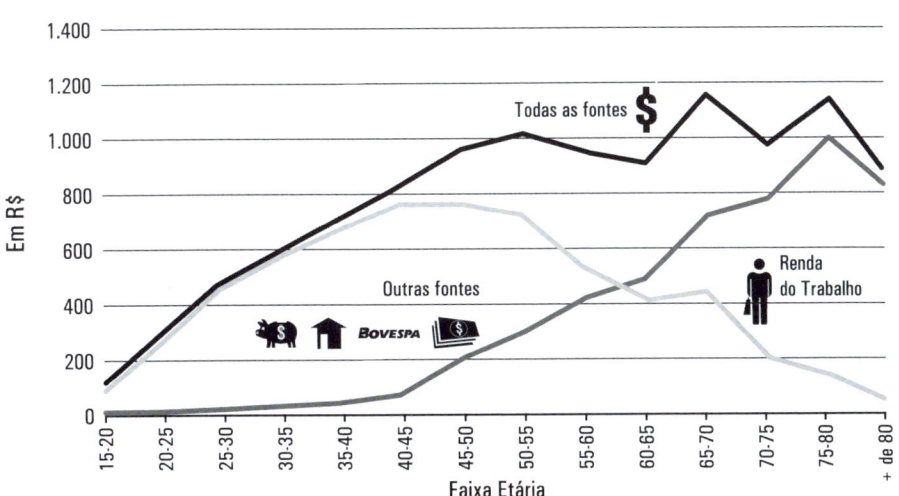

Fonte: IBGE-PNAD 1996. In: NÉRI; CARVALHO; NASCIMENTO. *Ciclo da Vida e Motivações Financeiras*. Texto para Discussão 691, IPEA,1999.

---

5. Baseado em MODIGLIANI, F. *Life Cycle, Individual Thrift, and the Wealth of Nations*. **The American Economic Review**, n. 76, p. 297-313, 1986.

[*17*]

Mesmo para aqueles que pertencem à classe média e têm vergonha de exercer atividades mais simples, existem soluções interessantes. Muitos se tornam professores particulares, músicos ou fazem serviços de digitação de textos ou de programação de computadores. Se você está precisando aumentar a renda, não tenha medo. Identifique suas vocações e mãos à obra!

Poupança = Receitas − Despesas

Observe que, na equação, existem duas maneiras de você aumentar a poupança. Incrementar as receitas e/ou reduzir as despesas. Escolha a que é mais viável para você.

O QUE ACONTECE COM AS PESSOAS CRIADAS EM ORFANATOS?

Uma pesquisa[6] realizada com 1.600 adultos criados em nove orfanatos, no sul dos Estados Unidos, revelou que:

- o nível de escolaridade era 40% superior à média nacional;
- a renda familiar era entre 10 e 60% superior à média;
- a taxa de desemprego, no grupo, era inferior à média nacional.

Apesar de terem enfrentado grandes sofrimentos na infância, os adultos criados em orfanatos conseguiram reunir importantes características:

- forte ética e dedicação ao trabalho;
- disciplina;
- senso de responsabilidade;
- habilidades de relacionamento em grupos.

---

6. McKENZIE, R. *The Home: A Memoir of Growing Up in an Orphanage*. Basic Books, 1996.

Educação — a chave para o sucesso

Não tenho dúvida de que a educação é a melhor herança que recebi de meus pais e que pretendo deixar para meus filhos. É a grande ferramenta para a redução das desigualdades sociais. Se o filho do pobre tiver chances de se educar de forma semelhante à do filho do rico, estaremos construindo um país com igualdade de oportunidades e, em breve, uma nação muito menos desigual. Penso que esse deveria ser o foco de qualquer governo no Brasil.

Nos Estados Unidos, há diversas pesquisas revelando a forte correlação entre educação e níveis de renda. A Figura 1.5 demonstra o quanto cada nível de escolaridade acrescenta à renda dos cidadãos americanos. Um resultado prático e verdadeiro de que a educação é um excelente investimento.

Figura 1.5 Evolução da renda por grupos de escolaridade, nos EUA

Educação	Renda Anual Média
Primeiro Grau	US$ 20.781
Segundo Grau	US$ 38.563
Graduação em Faculdade	US$ 64.293
Mestrado	US$ 76.065
Doutorado	US$ 92.316

Fonte: U.S. Bureau of the Census, *Money Income in the United States*, 1996.

No Brasil, a realidade é ainda mais forte. Segundo o IBGE, o nível de escolaridade é um fator determinante da renda do brasileiro. Observe a Figura 1.6:

Figura 1.6 Renda mensal do brasileiro de acordo com sua escolaridade

Anos de Estudo	Rendimentos de Todas as Fontes
menos de 1 ano	R$ 257,43
de 1 a 3 anos	R$ 314,24
de 4 a 7 anos	R$ 425,08
de 8 a 10 anos	R$ 740,80
de 11 a 14 anos	R$ 1.067,05
15 anos ou mais	R$ 2.594,45

Elaborado a partir de microdados da PNAD 2005 para idade de 45 anos

Infelizmente, são muito divulgados os exemplos de pessoas que, com pouco estudo, ficaram ricas da noite para o dia. Isso faz com que alguns jovens acreditem que essas exceções sejam a regra, desprezando a oportunidade que lhes é oferecida através da educação. Não deixe seu filho ter dúvidas sobre essa verdade.

Capítulo 2

Você consegue poupar?

"Um centavo poupado é igual a um centavo ganho."
Benjamin Franklin

Poupar é adiar o consumo presente, visando a um consumo maior no futuro. As pessoas poupam com dois objetivos básicos:

- consumir mais, em breve;
- enfrentar o declínio que a natureza impõe à capacidade produtiva do homem após certa idade.

Tais propósitos garantem, na prática, uma compensação para o sacrifício de não consumir hoje, de gastar menos do que nossa renda permite e de acumular reservas a serem utilizadas no futuro.

Meu objetivo é dar uma contribuição para uma mudança nesse padrão de comportamento. Poupar é importante para qualquer indivíduo e para qualquer nação que deseja se livrar da pobreza. Saber investir os recursos poupados é essencial, tanto para o indivíduo quanto para a economia de um país.

Por que as pessoas não conseguem poupar?

Caso

Jorge é um bem-sucedido executivo de uma empresa multinacional em São Paulo. Todo mês, mais de R$ 20 mil são depositados em sua conta corrente. Certamente, ele faria parte da elite de qualquer país desenvolvido. Foi casado com Vera, uma nutricionista que trabalha em outra multinacional, recebendo cerca de R$ 3.000,00 por mês. O casal tem dois filhos, Fábio e Juliana, que estudam em faculdades particulares na capital de São Paulo.

Comer fora, viajar em férias para o exterior todos os anos, trocar os carros da família a cada 2 anos, pagar contas elevadas de celular para todos e comprar roupas nas melhores lojas dos *shopping centers*, tudo isso passou a ser uma necessidade da família de Jorge. Ninguém percebia exageros. Tudo era natural.

Há 2 anos, Jorge decidiu separar-se. A rotina do casamento e a influência de colegas divorciados levaram-no a não tolerar mais os pequenos conflitos com a esposa. Após 25 anos de união, o casamento já não existia mais.

Jorge foi morar em um *flat* e pode ser visto em companhia de mulheres jovens. Vera vem tentando melhorar seu estado depressivo à custa de uma lipoaspiração e de uma pequena cirurgia plástica. Os filhos, chocados com a separação, tentam esquecer o problema da família viajando com os amigos para o exterior.

As despesas assumem proporções ainda mais exageradas. Mas tudo é aceitável, ao menos aos olhos dessas pessoas e dos amigos mais próximos. Afinal, eles compartilham o mesmo estilo de vida.

Infelizmente, nada é eterno. Mudanças na empresa fizeram com que Jorge perdesse o emprego. Um grande drama se instala. Na idade de Jorge, 51 anos, não é fácil encontrar emprego semelhante. Como viver a partir

> de agora? Jorge percebeu que sua poupança é mínima. Ele tem apenas o dinheiro da rescisão contratual, cerca de R$ 80 mil. Talvez dê para manter a família por uns seis meses. Mas eles vão ter de "apertar os cintos".

Você, certamente, já assistiu de perto a vários casos como o de Jorge. Não são poucos os profissionais competentes que ganham bastante dinheiro durante alguns anos, mas que não conseguem fazer um "pé-de-meia". Alguns jogadores de futebol servem como exemplos de maus administradores de suas finanças pessoais. Muitos dizem que a insuficiente formação intelectual desses atletas levou-os aos problemas financeiros no final da carreira. Entretanto, muitos outros profissionais cometem erros ainda mais graves.

Observe o fenômeno recente dos telefones celulares em nosso país. Em apenas 10 anos, descobrimos que o celular é algo "vital" em nosso dia-a-dia. Gastar entre R$ 50,00 e R$ 100,00 por mês com ele passou a ser algo normal e totalmente "necessário", não só para a classe média, mas até para os menos favorecidos.

Outro grande vilão das finanças pessoais é o automóvel. A depreciação, o custo de oportunidade, o seguro e o IPVA são gastos grandes e ficam ainda maiores se o carro for zero-quilômetro.

Caso

Justino nasceu em uma pequena cidade, perto de Vitória da Conquista, na Bahia. Aos 23 anos, veio tentar uma vida melhor em São

> Paulo, seguindo o exemplo dos dois irmãos mais velhos. Encontrou o primeiro emprego como auxiliar de pedreiro em uma pequena construtora. Seu esforço e dedicação valeram-lhe uma promoção para o ofício de pedreiro em menos de 2 anos. Ao concluir um segundo prédio, foi convidado para ser o zelador do edifício. Já casado, Justino encontrou aí uma boa oportunidade de economizar o aluguel, residindo em um pequeno apartamento oferecido pelo condomínio ao zelador. Sua esposa, Rita, fazia serviços como diarista para os moradores do prédio. A família conseguia poupar metade dos rendimentos. Justino começou a adquirir terrenos no bairro de Vila Carrão, na periferia de São Paulo. Nos fins de semana, a família ia visitar seus pequenos terrenos. Após adquirir três lotes, Justino contratou uma equipe para começar a construir uma loja, com um apartamento no piso superior. No fim de 5 anos, já possuía duas lojas e dois apartamentos. A renda desses aluguéis passou a dobrar o rendimento da família, então contando com três filhos.
>
> Após 30 anos em São Paulo, ele tem uma renda de R$ 12.000,00 mensais com o aluguel de doze pequenos imóveis. Vila Carrão cresceu muito nos últimos tempos, e o conjunto de imóveis de Justino chega, hoje, a valer quase R$ 1,5 milhão. Uma história verídica, embora não tão comum no Brasil. Imagine o que seria de nosso país se pudéssemos ampliar o número de pessoas com a mesma capacidade de trabalho e de poupança do casal Justino e Rita...

O maior desafio para construir uma vultosa poupança está na dor que imediatamente é sentida quando se renuncia ao consumo imediato na esperança de ser recompensado em um futuro ainda muito distante. Para os jovens, principalmente, esse é um desafio muitas vezes insuportável.

Na sociedade de consumo, muitos confundem os verbos **necessitar** e **precisar** com o verbo **desejar**. Assim, dizemos:

— **Necessito** de um carro novo.
— **Preciso** de uma viagem ao exterior nas férias.

— **Necessito** comprar umas roupas melhores.

Na verdade, o verbo **desejar** deveria ser o escolhido nesses casos.
Parece-me que uma boa maneira de superar as tentações naturais é assumirmos compromissos com nós mesmos. Devemos sempre estabelecer metas, escrever regras e reavaliar nosso desempenho periodicamente. Esse exercício requer muita disciplina, mas trará boas recompensas.
Conheço pessoas que ganham muito dinheiro, mas não conseguem poupar. Conheço outras que ganham pouco, mas são boas poupadoras. Qual a diferença entre elas? A capacidade de não cair nas tentações do consumismo.
Não quero lhe receitar uma dieta e cortar seus maiores prazeres. A essa altura, gostaria apenas de chamar-lhe a atenção para fatos que passam despercebidos em nossa rotina. Talvez a mudança de pequenos hábitos possa gerar importantes contribuições em sua poupança. Talvez tal mudança signifique uma aposentadoria alguns anos mais cedo. Pense nisso... Cada um tem um estilo de vida e deve saber escolher onde gastar seu suado dinheiro.

Poupar é a primeira batalha.
Investir corretamente, fazendo seu dinheiro crescer, é a segunda.
Usufruir dos resultados obtidos é vencer a guerra!

Capítulo 3

Os cuidados ao comprar imóveis

"Meu filho, compre logo sua casa! Esse é o único investimento seguro!"
Conselho Popular

Com certeza, você já ouviu esse conselho muitas vezes. Se você colocou-o em prática nas décadas de 50, 60, 70 ou 80, parabéns! Provavelmente, você ficou contente com o retorno obtido. Mas, nos anos 90, a realidade foi diferente...

O Brasil, entre os anos 40 e 80, viveu uma enorme migração do campo para as cidades. A Figura 3.1 revela que, em 1940, 69% da população brasileira viviam na zona rural; em 2000, apenas 19% da população permaneciam no campo. Em decorrência, os imóveis urbanos assistiram a uma excelente apreciação em seus valores. Além disso, comprar casas e terrenos foi uma importante defesa contra as altas taxas de inflação. Esses imóveis saíram-se bem diante dos diversos planos de estabilização econômica que vivemos a partir de 1986: Cruzado, Bresser, Verão etc. Juntem-se a isso os enormes subsídios oferecidos pelo Sistema Financeiro da Habitação nos anos 70 e 80. Todos os ingredientes estavam reunidos para um *boom* imobiliário.

Figura 3.1 Distribuição percentual da população brasileira

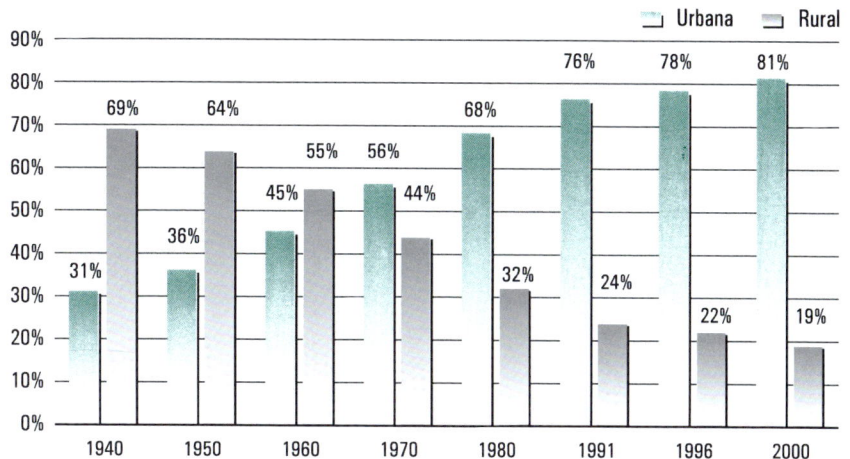

Fonte: IBGE, censos demográficos. In CAMARANO; BELTRÃO. *Distribuição Espacial da População Brasileira: Mudanças na Segunda Metade deste Século*. IPEA, 2000.

Entretanto, os imóveis não conseguiram suportar as elevadas taxas de juros praticadas nos anos 90, principalmente após o Plano Real. A Figura 3.2 revela o rendimento anual médio, acima da inflação, de alguns investimentos durante o Plano Real. O grande campeão foi o CDI, taxa de juros que serve de referência aos investimentos em renda fixa. Em São Paulo, quem vendeu seu apartamento em 1994 e aplicou em fundos DI acumulou, hoje, o valor equivalente a, pelo menos, dois apartamentos similares. Entretanto, acredito que os juros reais extraordinariamente altos são uma anomalia. Os governos só conseguiram pagar juros altos visando combater a inflação, porque a dívida pública havia sofrido uma forte redução no Plano Collor. Acredito que tal situação tende a se reverter. Em períodos mais longos, os imóveis, em média, devem superar o rendimento das aplicações em renda fixa.

Figura 3.2 Plano Real: Rendimentos anuais médios, ajustados pelo IGP-DI
Período de julho de 1994 a junho de 2007

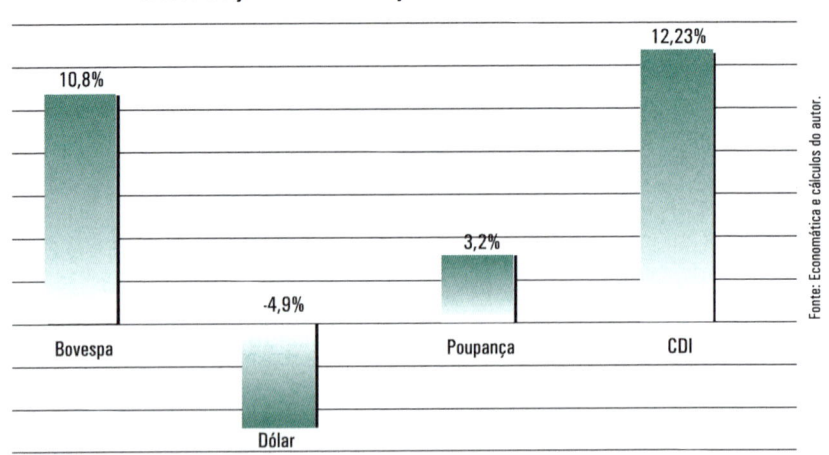

No livro **Seu Imóvel – como comprar bem**, analiso, detalhadamente, a rentabilidade dos imóveis. Revelo também como funcionam os sistemas de financiamento, consórcio e capitalização. Estratégias vitoriosas de investidores tradicionais são apresentadas, de forma a reduzir os riscos e ampliar as perspectivas de ganhos dos leitores que desejam investir no segmento imobiliário.

INVESTIR EM IMÓVEIS IMPLICA RISCOS

Suponho que você não seja um profissional do mercado de imóveis, que possa ficar garimpando oportunidades a cada instante. Nesse sentido, é importante alertá-lo de que existem outros riscos embutidos no investimento imobiliário. A compra de um imóvel costuma ser muito estressante. Mas, se esse bem constituir-se na maior parte de seu patrimônio, não poupe preocupações. Elas deverão ser recompensadas. A seguir, vamos discutir os principais riscos desse investimento.

Depreciação

Um apartamento de luxo, nos anos 70, tinha quatro dormitórios, uma suíte, dois banheiros e uma garagem. O azulejo da moda era da cor preta ou vermelha. Hoje, um apartamento, para o mesmo perfil de consumidor, tem quatro suítes, um lavabo, quatro garagens, *playground*, salão de festas, sala de ginástica, segurança etc. Hoje, os azulejos têm cor pastel ou são substituídos por mármore ou granito. Em outras palavras, existem "modismos" que o mercado chama de "tendências". Eles podem representar sérios riscos ao investidor em imóveis.

Um conjunto comercial, no centro de São Paulo, nos anos 60, era uma garantia de renda de aluguel segura e de valorização constante. Hoje, existem lá centenas de conjuntos comerciais vazios. Infelizmente, no Brasil, ainda não nos conscientizamos da importância de se preservarem as áreas centrais das cidades, em cuja infra-estrutura o poder público já fez bilionários investimentos. Em São Paulo, a Avenida Paulista viveu seu esplendor nos anos 80, a Avenida Faria Lima, nos anos 90 e, hoje, as grandes empresas ambicionam instalar seus escritórios na Marginal Pinheiros. O poder público continua investindo bilhões para construir o "novo" centro. O "velho" fica mais abandonado a cada dia.

No Rio de Janeiro, não é diferente. Copacabana foi superada por Ipanema e Leblon e, hoje, a Barra da Tijuca e o Recreio dos Bandeirantes são os destinos dos grandes investimentos imobiliários.

Enfim, no Brasil, imóveis de 15 anos já são considerados antiquados. Há modismos quanto à planta, ao acabamento e às benfeitorias necessárias. Isso pode depreciar bastante um imóvel antigo. E, se você comprar um imóvel novo, deverá arcar com a maior parte do impacto da depreciação.

Invasões em terrenos

Investir em grandes terrenos na periferia das cidades foi um ótimo negócio até a década de 90. As principais cidades brasileiras cresceram intensamente e esses investidores tiveram um maravilhoso retorno. Mas, hoje, existem riscos de invasão dos terrenos. As favelas, infelizmente, crescem em ritmo muito maior que o PIB brasileiro, e as grandes cidades ficaram rodeadas por bolsões de miséria. Há riscos no investimento em terrenos na periferia.

Booms *imobiliários*

Nos anos 20, a Flórida vivenciou um grande *boom* imobiliário[1]. A população estava crescendo e havia escassez de habitações. Notícias de que investidores tinham dobrado ou, até, triplicado seu capital começaram a atrair mais especuladores. Facilidades de crédito estimulavam ainda mais o processo de alta. Há casos de terrenos que custavam US$ 800 mil em 1923 e que foram vendidos por US$ 1,5 milhão em 1924 e por US$ 4 milhões em 1925. No topo do *boom*, havia 75.000 corretores de imóveis em Miami, ou seja, 1/3 da população da cidade. Evidentemente, a festa terminou. Em 1926, já não podiam ser encontrados novos compradores. Os especuladores se desesperaram e começaram a baixar os preços. Um colapso aconteceu.

No Japão, entre 1955 e 1990, o valor dos imóveis aumentou mais de 75 vezes[2]. Em 1990, o valor de todas as propriedades era estimado em quase 20 trilhões de dólares, mais de duas vezes o valor de mercado de todas as ações em bolsa no mundo. Os Estados Unidos são 25 vezes maiores do que o Japão, mas o conjunto de imóveis japoneses chegou a valer 5 vezes o conjunto total de imóveis americanos. Teoricamente, se alguém vendesse Tóquio inteira, poderia apurar quantia suficiente para comprar todos os imóveis dos Estados Unidos. Só o valor atribuído ao Palácio Imperial japonês era suficiente para comprar todos os imóveis da Califórnia. Em 1990, se você vendesse todos os campos de golfe do Japão, teria condições de comprar a Austrália inteira. O que alimentou isso? A crença de que nunca se perde dinheiro com imóveis. E os que têm interesse em promover essa lenda são capazes de elaborar vários tipos de argumentos para sustentar os preços. Mas só por algum tempo. O colapso aconteceu em 1990, quando o Banco do Japão aumentou as taxas

---

1. MALKIEL, Burton. *A Random Walk Down Wall Street*, 1999.
2. MALKIEL, Burton. Op.cit.

de juros para conter a inflação. A lei da gravidade de Isaac Newton voltou a funcionar no mercado de imóveis japonês.

Leis do Inquilinato

Desde a Lei do Inquilinato de 1942, os governos tentam intervir no mercado de locações residenciais.

Isso, aliado à gigantesca inflação, gerou aluguéis completamente defasados, desestimulando o investimento em imóveis residenciais para locação. Resultado: em poucos anos, houve uma enorme escassez de imóveis para locação. Inquilinos com contratos antigos pagavam muito pouco. Quem precisava fazer um contrato novo de aluguel tinha de pagar muito caro.

Nos anos 90, o governo deu mais liberdade para as locações, e a situação, hoje, já é bem mais equilibrada.

Armadilhas

A compra de um imóvel implica conhecer profundamente Direito. A quantidade de leis no país é tão grande que a presença de um advogado de confiança para assessorar o comprador torna-se condição essencial. São inúmeros os casos de fraudes em negócios imobiliários.

Henrique, um experiente investidor no mercado de imóveis, no Rio de Janeiro, disse-me, certa vez: "Todos os dias, saem de casa um esperto e um trouxa, e eles vão fechar um negócio". Portanto, tenha muito cuidado para não fazer o papel do trouxa nesse enredo. Tecnicamente, pode-se dizer que existe uma grande assimetria (desigualdade) na relação entre o comprador e o vendedor de um imóvel. Enquanto o vendedor sabe tudo sobre o bem, o comprador tem que descobrir, em poucos dias, os possíveis defeitos do imóvel. Nem sempre consegue fazer um bom trabalho de investigação a tempo e acaba se arrependendo depois do fechamento do negócio.

Apaixonar-se pelo imóvel

Percebe-se ainda uma desvantagem psicológica no investimento em imóveis. A dor de se vender uma propriedade diante de uma necessidade é muito grande.

CASO

Pedro, um pai de família, em Minas Gerais, aos 65 anos, precisando de dinheiro para uma cirurgia cardíaca em São Paulo, preferiu adiar o tratamento a vender um de seus imóveis.

Parece-me uma grande incoerência. Afinal, o principal objetivo de poupar é acumular recursos para custear a velhice. O apego ao imóvel torna-se tão grande que é muito comum, na prática, que ele não seja vendido quando se enfrenta uma dificuldade de saúde, deixando-se de dar ao bem a chance de cumprir uma de suas possíveis "missões".

No mesmo sentido, assistimos a inúmeros exemplos de famílias ricas, detentoras de muitas propriedades, que perdem tudo por conta de dívidas e de apego aos bens. Empresas familiares viram-se em dificuldades para enfrentar as intensas mudanças da economia brasileira na década de 90. Muitas preferiram endividar-se em bancos a vender seus imóveis. Visando à preservação dos anéis, acabaram perdendo os dedos. Foram engolidas pelos altos juros. E seus imóveis, tomados pelos credores.

Algumas empresas ficaram endividadas com o Fisco ou com bancos e não conseguiam mais obter certidões negativas. Com isso, tinham enormes dificuldades em vender seus bens, que acabaram sendo perdidos após a falência.

Imóveis na planta

Um *flat*, em São Paulo, está sendo anunciado por R$ 100.000,00 à vista. O prazo de entrega é de 3 anos. Se você aplicar tais recursos em renda fixa, é muito provável que consiga transformá-los em R$ 119.000,00, além de uma compensação pela inflação. Durante a obra, você não receberá nada da construtora. Você não terá a renda de aluguéis nem de juros sobre o capital. Além disso, terá de suportar o risco de a construtora não honrar os compromissos. Portanto, os imóveis na planta têm que ter um substancial desconto em relação ao preço do imóvel já pronto. Em nosso exemplo, os R$ 19.000,00 devem ser o desconto mínimo a ser oferecido pelo incorporador em relação a um *flat* já pronto no mesmo local.

Cuidado ao comprar imóveis na planta. No passado, muitas pessoas orgulharam-se de ter obtido ganhos vultosos nessas operações. Mas elas são de alto risco, porque você ficará dependente da saúde financeira da construtora. E tem sido difícil administrar construtoras. Muitas empresas grandes e tradicionais quebraram nos anos 90, deixando milhares de clientes sem nada.

Além disso, você pode não ficar muito satisfeito com o produto final que receber. Comprar um imóvel na planta é como comprar um sonho. Na hora de recebê-lo, talvez ele não seja tão bonito quanto você imaginou. Espere mais um pouco, poupe mais e tente comprar um imóvel pronto, à vista. Não se encante com uma tabela de preços financiada, oferecida pelo imóvel na planta. Nem pelo preço à vista, mais barato.

Veja estas orientações do Ministério Público de Minas Gerais:

> ## Incorporações imobiliárias e loteamentos – alerta à comunidade
>
> *Ministério Público de Minas Gerais – Curadoria de Defesa do Consumidor*
>
> Verifique se o incorporador ou vendedor já registrou a incorporação em um dos Cartórios de Registro de Imóveis da Comarca, conforme exigido pela Lei 4.591, de 16.12.64. Se não estiver registrada, não faça negócio. Procure a Curadoria de Defesa do Consumidor ou o Procon.
>
> O interessado na compra de qualquer imóvel deve, antes de realizar o negócio, procurar o Cartório de Registro de Imóveis da Comarca onde ele estiver matriculado, para saber se está livre de qualquer ônus, se não há hipoteca sobre ele e se pode ser alienado, para que não haja qualquer surpresa desagradável depois. Antes dessa providência, não faça nada nem mesmo dê qualquer sinal para garantir a compra.
>
> Lembre-se de que, se você realizar um mau negócio, vai ser difícil encontrar uma solução e, ainda que se encontre uma, nem sempre será aquela do seu interesse. Na maioria das vezes, você poderá, no máximo, obter uma sentença condenando a empresa a lhe pagar uma indenização, o que pode ser um processo lento.

Despesas com o imóvel novo

Dalva, uma experiente corretora em Porto Alegre, indica que os melhores negócios com imóveis residenciais são aqueles feitos com unidades entre 3 e 7 anos de vida. Certamente, os primeiros proprietários já terão despendido recursos nos acessórios do imóvel, tais como armários embutidos, decoração do condomínio, melhorias no acabamento oferecido pela construtora etc. Ao comprar um apartamento com 7 anos de uso, por exemplo, você ainda poderá desfrutar muito desse bem sem pagar os elevados preços cobrados pelas construtoras ao vender um imóvel "zero-quilômetro".

Cuidado com as reformas

Muito cuidado ao comprar um apartamento antigo, pensando em fazer uma grande reforma nele. Talvez você não consiga recuperar o valor investido na obra, caso o padrão do prédio não esteja no mesmo nível da reforma que você pretende implementar. Além disso, se o prédio for antigo, ele certamente oferecerá poucas vagas de garagem, item crítico nas grandes cidades de hoje. É muito difícil vender um apartamento de bom padrão com poucas vagas de garagem.

Apartamento nos primeiros andares

Procure obter um bom desconto ao comprar apartamentos nos primeiros andares. Barulho, visão limitada e pouca segurança são fatores que impressionam negativamente os potenciais compradores. Lembre-se de que, quando você for vender esse apartamento, o futuro comprador também exigirá um desconto de você[3].

Imóveis de lazer têm baixa liquidez

Imóveis na praia ou no campo podem ser um excelente lazer para a família, mas têm baixa liquidez e são muito sensíveis a crises econômicas. Na primeira recessão, os potenciais compradores desaparecem.

Alguns imóveis costumam dar duas alegrias: uma quando você compra, e a outra quando vende. Em outras palavras, evite comprar imóveis que têm baixa liquidez.

---

3. Mas há exceções. Por motivos religiosos, apartamentos em andares baixos são muito procurados em alguns bairros de São Paulo.

Condomínio

Procure saber sempre o valor das taxas de condomínio. Há poucos meses, Márcio encontrou um excelente apartamento em Curitiba. O prédio fica em um dos melhores bairros da cidade, dentro de um terreno exclusivo de mais de 10.000 metros quadrados, com piscina aquecida, quadra de tênis, manobristas, seguranças etc. Valor do apartamento: R$ 450.000,00; valor do condomínio: R$ 2.000,00. Quando Márcio estranhou o alto valor da taxa, o corretor argumentou que quem realmente tivesse condições de morar naquele empreendimento não se importaria com isso. Mas Márcio incomodou-se. Considerando que, em dezembro, as taxas de condomínio chegam a dobrar por causa do décimo terceiro salário dos funcionários, o proprietário do apartamento deverá pagar cerca de R$ 26.000,00 por ano com essa despesa. Isso significa que o infeliz proprietário consumirá 5,8% ao ano do valor do imóvel com as despesas de condomínio. Supondo que o valor do apartamento deva ser depreciado ao longo do tempo e que as taxas dificilmente diminuem, Márcio estimou que, em menos de 15 anos, o proprietário do apartamento pagará o equivalente ao valor de mais um apartamento para o condomínio.

Não se esqueça de verificar se há taxas de condomínio em atraso. O comprador passará a ser responsável pelas dívidas.

IMÓVEIS INDUSTRIAIS

Um trabalho da Yale School of Management[4] apontou que os imóveis industriais têm superado a rentabilidade das propriedades para comércio e para escritórios nos países desenvolvidos. A pesquisa também mostra claramente que investir em imóveis, em geral, é fazer uma aposta no crescimento do país.

---

4. CASE; GOETZMANN; ROUWENHORST. *Global Real State Markets: Cycles and Fundamentals.* Yale School of Management, Working paper, 1999.

Imóvel para residência ou para investir?

O imóvel para você morar com a família não é, necessariamente, aquele para você ganhar dinheiro. Em geral, é preferível pagar o preço justo, praticado pelo mercado, por um bem que atenda perfeitamente às necessidades de sua família. Reserve sua habilidade de garimpar oportunidades ou procurar uma "galinha morta" para aqueles imóveis que você deseja adquirir apenas como investimento.

Caso

José, antigo investidor no mercado imobiliário de São Paulo, utiliza uma interessante estratégia: comprar imóveis comerciais pequenos, se possível em esquinas bem movimentadas, ou comprar sobrados de esquina e retalhá-los em pequenas lojas e escritórios. Sempre em bairros com vizinhança já definida, em ruas de muito movimento, se possível, onde passem ônibus. Creio que tais preocupações oferecem uma substancial redução no risco dos investimentos e um bom nível de liquidez através de aluguéis e de imóveis de baixo valor agregado.

Dicas

▷ Evite comprar residências sofisticadas com o objetivo de alugar. Há grandes alterações nas exigências do mercado consumidor sobre

> esse tipo de imóvel ao longo do tempo. Os preços são muito influenciados por tendências e modas. O que se torna ruim para quem compra e pior para quem tem de vender depois.
> ▶ Como investimento, é preferível ter três pequenos imóveis a ter um grande. A diversificação é uma prática bastante saudável. Além disso, propriedades menores costumam ter mais liquidez, são mais fáceis de alugar, obtêm um rendimento percentualmente superior na locação e serão mais úteis na eventualidade de um aperto em suas finanças pessoais.
> ▶ Não se apaixone pelo imóvel. Procure enxergar todos os defeitos do produto. Nada é perfeito. Procure antever as dificuldades que terá de enfrentar quando você for vender o bem que está pretendendo adquirir agora. Se comprar um imóvel dá trabalho, lembre-se de que vender é muito mais difícil. Tenha muita calma. Pior do que perder a chance de comprar um bom imóvel é comprar um com problemas. Considere que, quando você for vendê-lo, os potenciais compradores serão ainda mais rigorosos com você.

Você já deve ter ouvido falar muito de pessoas que investiram em regiões desertas que, de repente, tornaram-se populosas. Essas pessoas enriqueceram em poucos anos. Entretanto, procure lembrar-se de parentes e amigos que também compraram terrenos ou casas em regiões distantes que, até hoje, continuam desvalorizadas. Apostas em regiões novas podem oferecer valorizações muito elevadas, porém trazem riscos também altos.

Pague uma consulta a um perito

Sugiro que você consulte um construtor experiente ou um engenheiro civil para examinar o imóvel que pretende adquirir. Sistemas elétricos, hidráulicos, fundações, estruturas, eventuais rachaduras, tudo deve ser inspecionado. Embora não seja muito usual, os benefícios dessa consulta podem ser muito grandes, minimizando os riscos de surpresas desagradáveis.

Construir a própria casa

Construir uma casa pode ser uma alternativa interessante. Primeiro, você compra o terreno, faz o projeto e, a seguir, executa a obra de acordo com seu fluxo de caixa. Excelente opção para obter a casa própria! Mas tenha ciência de que isso irá consumir muito de suas horas de lazer. Prepare-se para enfrentar problemas na escolha de profissionais da construção civil. Muitos ainda não estão acostumados com padrões de qualidade elevados.

Outra recomendação importante: construa uma casa que agrade à maioria. Algumas pessoas resolvem colocar em prática suas habilidades artísticas e acabam construindo casas com gosto duvidoso. Isso criará dificuldades na hora de vender. É preferível não fugir do padrão estético da vizinhança construindo casas sóbrias e com divisões no padrão das demais casas do bairro.

Existe um outro risco. Se você não conseguir terminar a obra, estará com um "abacaxi" nas mãos. Seja muito cauteloso ao estimar suas disponibilidades financeiras para a construção.

Custos de transação elevados

Corretagem, escritura, registro em cartório e Imposto de Transmissão elevam o custo de compra ou de venda de um imóvel. Por isso, considere-o apenas como um investimento de longo prazo.

Devo comprar ou alugar minha residência?

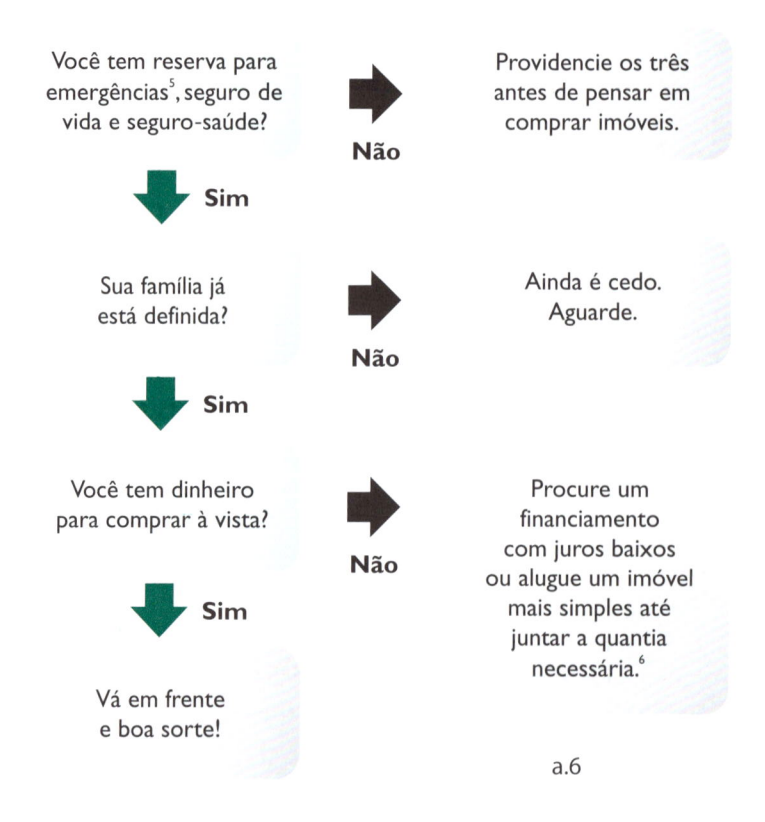

Você tem reserva para emergências[5], seguro de vida e seguro-saúde? → **Não** → Providencie os três antes de pensar em comprar imóveis.

↓ **Sim**

Sua família já está definida? → **Não** → Ainda é cedo. Aguarde.

↓ **Sim**

Você tem dinheiro para comprar à vista? → **Não** → Procure um financiamento com juros baixos ou alugue um imóvel mais simples até juntar a quantia necessária.[6]

↓ **Sim**

Vá em frente e boa sorte!

a.6

"Pagar aluguel é jogar dinheiro fora?"

Nem sempre. Se você for residir poucos anos no imóvel ou se você ainda é solteiro e não sabe qual será o perfil de sua futura família, não tenha medo de pagar aluguel. Mas alugue um imóvel compacto, sem luxos.

---

5. Reserva para emergências equivale a seis vezes suas despesas mensais, aplicadas em renda fixa.
6. O imóvel alugado deve ser mais simples que o imóvel pretendido para compra. Muitas pessoas erram alugando um imóvel acima de suas reais possibilidades e, assim, não sobra dinheiro para poupar.

Dicas

- Procure comprar uma residência que lhe seja útil por longo tempo. É preferível adiar a compra, juntar mais um pouco de dinheiro e comprar um imóvel maior, mais adequado às suas futuras necessidades.
- Se você deseja fazer uma carteira de imóveis para o futuro, procure comprar propriedades bem localizadas, que proporcionem bons aluguéis. Os imóveis comerciais pequenos são os mais recomendados para locação. Consulte um contador sobre as vantagens de abrir uma empresa para administrar seus imóveis próprios. Há vantagens tributárias nessa estratégia.
- Em geral, a melhor compra é aquela que se faz à vista. Quando o comprador entra na negociação, necessitando de um financiamento, diminui muito seu poder de barganha. O ideal é ter o dinheiro todo para pagar à vista com um bom desconto. Não tenha pressa. Não se iluda com a pressão do vendedor. Espere mais um pouco e junte mais dinheiro. Você certamente fará melhor negócio.
- Seja muito exigente na hora de comprar, porque o futuro comprador de seu imóvel também o será.
- Não compre um imóvel apenas para exibir a seus amigos e familiares como um troféu.
- As antigas vantagens do Sistema Financeiro da Habitação, com juros subsidiados, prestações subindo de acordo com os aumentos salariais, perdão do saldo devedor etc. praticamente já acabaram. Durante os anos 60 e 70, esse foi um enorme subsídio pago pela população brasileira para os mutuários do SFH, que deixou um grande rombo nas contas públicas. Esse tempo já passou.
- Se seu filho mais novo já tem 15 anos, pense duas vezes antes de adquirir uma residência muito grande. Provavelmente, ele só irá morar com você por mais uns dez anos. É muito comum ver famílias adquirindo residências grandes às vésperas de os filhos saírem de casa. Ao final, o casal fica sozinho, vivendo em uma casa grande e vazia. Econômica e psicologicamente, isso não faz sentido.

"Se os aluguéis estão baixos, posso deixar o imóvel desocupado..."

Não concordo. Ao fim de alguns anos, pode-se adquirir um outro imóvel idêntico, somente com o dinheiro do aluguel. Além disso, o inquilino pagará as despesas com o condomínio e com o IPTU. Acompanhe de perto a seleção dos inquilinos. É preferível oferecer descontos para candidatos com excelente reputação.

Investimento sem apoio de metodologias científicas

Infelizmente, existem poucas pesquisas acadêmicas no Brasil sobre investimentos imobiliários. Assim, torna-se muito difícil aprender a investir corretamente nesse mercado. Os compradores e os vendedores de imóveis limitam-se a conhecer o que seus pais, amigos ou corretores lhes ensinaram, sem qualquer metodologia científica.

É muito difícil encontrar estatísticas confiáveis sobre o comportamento dos preços no mercado, o que torna ainda mais complexa a arte de avaliar o preço justo de um imóvel.

Vantagens do investimento em imóvel

- "Dinheiro na mão é vendaval", já cantava Paulinho da Viola. O imóvel impõe ao investidor excelente disciplina de poupar.
- É tangível, isto é, pode ser visto e tocado.
- É uma boa proteção contra a inflação a longo prazo.
- "Viver no que é seu" é algo que dá muito prazer.
- Comprar um bom imóvel proporciona uma sensação de vitória.
- Os aluguéis podem oferecer um bom complemento na aposentadoria.
- Reinvestir os aluguéis recebidos impulsiona novas aquisições e torna-se uma alternativa às aplicações de renda fixa.

Vale a pena investir em imóveis?

Sou a favor de investimentos imobiliários. Creio que todas as famílias devem procurar adquirir a casa própria.

Considero que a maior virtude do imóvel seja a capacidade de impor disciplina ao investidor. Um jovem casal sonha em livrar-se do aluguel. Inicia-se um processo de redução nos gastos desnecessários. A poupança passa a ser um sacrifício suportável. O sonho da casa própria proporciona um enorme prazer, recompensando o sacrifício de poupar! Além disso, os imóveis são tangíveis, isto é, nós podemos tocá-los, e eles nos dão uma confortável sensação de segurança.

Herdamos uma convicção de nossos antepassados de que investimentos imobiliários oferecem alto retorno e baixo risco. Discordo. Cabe-me alertar o leitor para não ser enganado pela lenda de que é impossível perder dinheiro com imóveis. Ao contrário, é muito mais fácil perder do que ganhar, como em tudo na vida. Tenha muito cuidado!

Capítulo 4

Por que tantas pessoas perdem nas bolsas?

"O homem que nunca erra nada faz."
Bernard Shaw

Conceitos

Ações: títulos negociáveis que representam parcela mínima do capital de uma empresa.

Carteira de ações: conjunto de ações. Recomenda-se fazer uma carteira para reduzir o risco do investimento.

Ibovespa: índice da Bolsa de Valores de São Paulo. Representa o valor de um conjunto de ações, constituído pelos papéis mais negociados na Bolsa. Em maio de 2007, o Ibovespa contava com 61 ações, que são selecionadas a cada quatro meses. As participações de cada papel no índice são determinadas de acordo com o volume de negociação dessas ações. O Ibovespa serve como referência para o mercado.

Evandro e seu primeiro negócio com ações

Caso

Evandro, 32 anos, é engenheiro mecânico, formado por uma renomada universidade carioca. Gerente de operações de uma indústria de alimentos, é leitor de bons jornais e das principais revistas nacionais. Em julho de 1997, leu uma matéria sobre ações. O índice da Bolsa de São Paulo já havia acumulado um ganho de 84% contra 10% do fundo de renda fixa em que Evandro tinha investido as economias.

Os noticiários dos jornais são todos favoráveis à Bolsa. Os analistas acreditam que, com a privatização da Telebras, o país vai receber mais de trinta bilhões de dólares. O câmbio está sob controle, e a chegada de investimentos diretos no país vem batendo todos os recordes. "Um bom momento para o investimento em renda variável", diz a manchete do caderno de Economia de um jornal do Rio de Janeiro.

Evandro confere o desempenho das ações mais negociadas. Telebras subiu 116% no ano. Brahma (hoje AMBEV) subiu 45% e está sendo bem recomendada pelos analistas. Não há risco nessa operação. O Brasil é um país com grande população e está se modernizando rapidamente.

"Investir na Bolsa é a grande alternativa a longo prazo!", pensa Evandro.

Ele não tem dúvidas. Toma decisões rápidas: abre uma conta em uma corretora indicada por um colega e manda comprar R$ 20.000,00 em ações da Brahma PN. Imagina-se curtindo, em breve, os lucros da operação: trocar de carro, comprar um apartamento na Barra da Tijuca, viajar para a Califórnia... Evandro adoraria poder chegar ao clube e contar sobre seus últimos ganhos no mercado acionário. Cedo, ele vai causar inveja aos amigos...

Evandro pagou R$ 737,00 no dia 31 de julho por lote de mil ações da Brahma PN. Duas semanas depois, Evandro leva o primeiro susto. Um país na Ásia entra em crise e faz as bolsas pelo mundo caírem.

Por que tantas pessoas perdem nas bolsas?

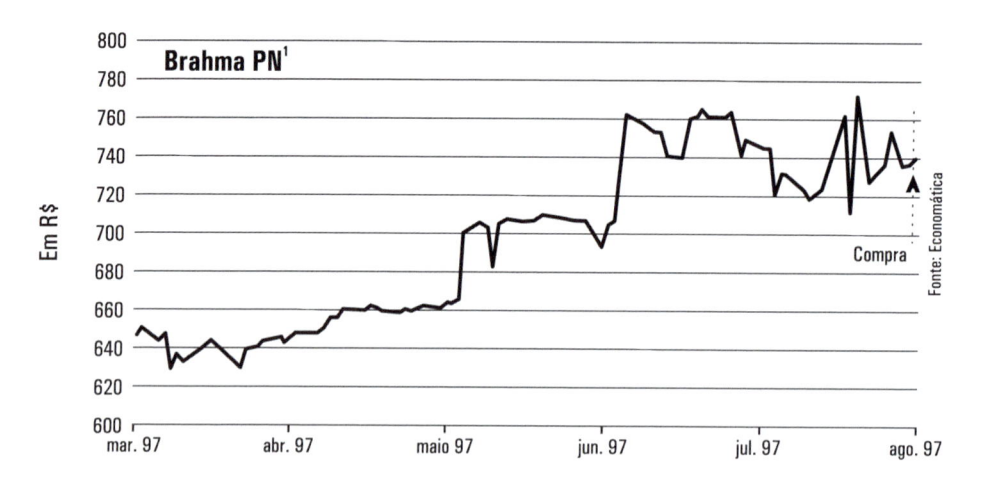

Figura 4.1   Evandro compra as ações em 31 de julho de 1997

[Gráfico: Brahma PN[1], Em R$, de mar. 97 a ago. 97, com indicação "Compra" em jul. 97. Fonte: Economática]

"Bolsa é assim mesmo; é para quem tem nervos de aço, e eu estou aqui visando ao longo prazo", consola-se Evandro.

No dia 20 de agosto, as ações valem apenas R$ 667,00 por lote. Um prejuízo de cerca de 10%. Mas Evandro fica firme. Ele tinha razão. Em 1.º de outubro, as ações da Brahma voltam a bater recordes históricos. Agora, cada lote vale R$ 780,00. Um ganho superior a 5%. Nada mau para 2 meses de aplicação em um período de juros baixos e de moeda estável.

Em 23 de outubro, mais um susto na Ásia. Os mercados despencam no mundo inteiro. No dia 13 de novembro, as ações da Brahma são negociadas a apenas R$ 520,00. Uma perda de 30% no investimento de Evandro.

O cenário agora é muito difícil. As redes de TV não se cansam de mostrar o desespero dos operadores na Bolsa de São Paulo e na de Nova York. Em Hong Kong, então, foi um desastre total. Serão anos para uma eventual recuperação do mercado. Evandro leu todos os jornais. Tem certeza de que o melhor é garantir o capital que lhe

1. PN = Ação Preferencial Nominativa: ação sem direito a voto na companhia, que dá privilégios no recebimento de participações no lucro (dividendos).
ON = Ordinária Nominativa: ação com direito a voto. Geralmente, possui poucos negócios na Bolsa, resultando em preços menores que a PN.

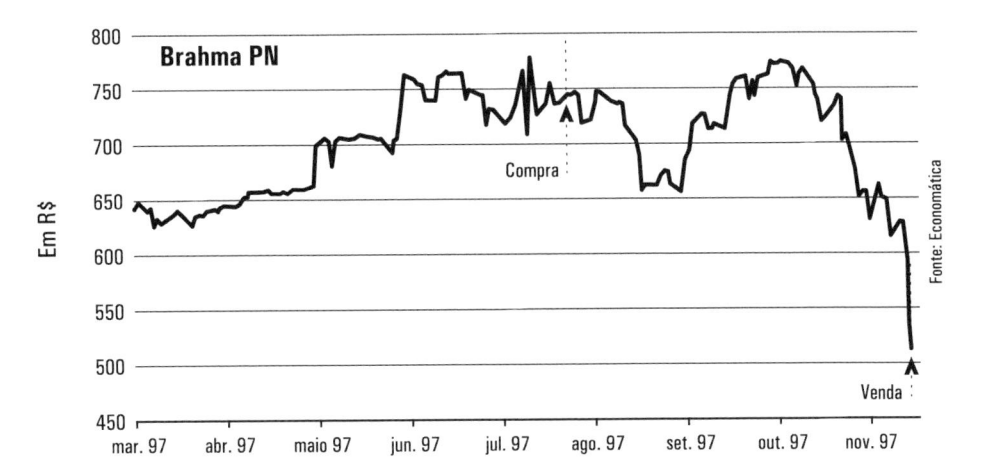

Figura 4.2   Evandro vende as ações em 31 de novembro de 1997

[Gráfico: Brahma PN, Em R$, de mar. 97 a nov. 97, indicando "Compra" em julho e "Venda" em novembro. Fonte: Economática]

restou. Ele não está sozinho milhares de investidores perderam. O jornal na TV disse que Bill Gates perdeu mais de US$ 10 bilhões na última semana com a queda das ações da Microsoft. Não seria motivo de vergonha para Evandro reconhecer esse prejuízo e sair do jogo.

"Depois, quando as bolsas começarem a se recuperar, eu volto a investir", promete Evandro.

Ele liga para sua corretora e manda vender as ações no dia 13 de novembro por R$ 520,00. Respira aliviado. Ainda lhe sobram quase R$ 14.000,00.

Em 26 de fevereiro, as ações da Brahma, após uma recuperação impressionante, voltam a ser negociadas a R$ 737,00, o mesmo preço que ele havia pago em julho. Evandro está frio.

"As bolsas machucam muito, é só para os especialistas", explica-se.

Muitos analistas disseram na TV que já sabiam que os mercados estavam exageradamente caros e que uma crise seria inevitável. Parece até que só Evandro não sabia disso. Ele se julga um idiota...

"Não tenho tempo para ficar acompanhando o sobe-e-desce do mercado. Para comprar ações, você precisa acompanhar de perto, senão é perda certa", garante Evandro.

> No dia 31 de julho de 2000, 3 anos depois da desastrosa compra de Evandro, as ações da Brahma foram negociadas a R$ 1.870,00. Uma valorização de 153% em três anos! Uma valorização de 53% em dólar, mesmo contando com a desvalorização cambial!
>
> Evandro voltou a ler artigos sobre a Bolsa nas revistas e jornais. Ele está pensando em voltar a investir uma parte da poupança em ações...

Os equívocos de Evandro

Evandro entrou na Bolsa quando a imprensa já reportava os grandes ganhos do passado recente. Costuma haver correções após longos períodos de alta.

Ao vender suas ações, menos de 4 meses depois, Evandro fugiu do objetivo inicial. **Ele abandonou o compromisso de investir a longo prazo. Foi seu maior erro.**

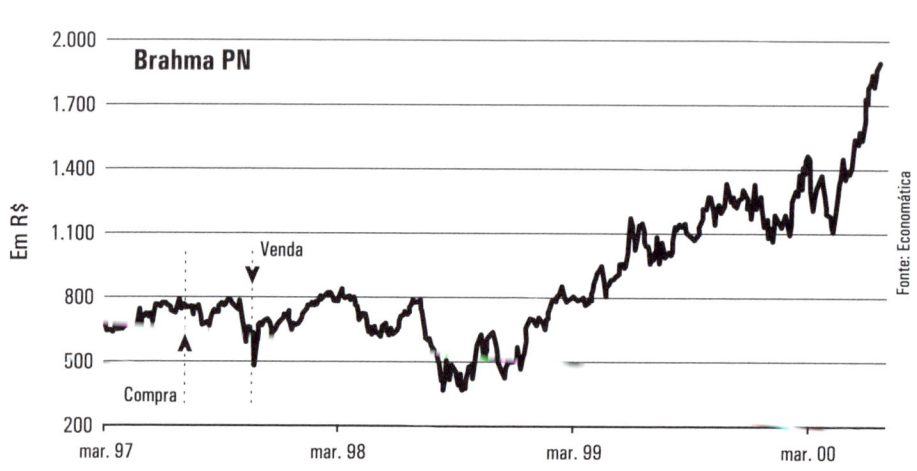

Figura 4.3   Ações Brahma PN, três anos depois

Em fevereiro de 98, quando as ações haviam se recuperado, Evandro ignorou mais uma vez o compromisso assumido, ao vender os papéis. Ele deixou de investir conforme prometera.

Veja a Figura 4.3. Três anos depois, a crise da Ásia aparece no gráfico da Brahma como uma ligeira queda. Não havia necessidade para tanto desespero...

Ao pensar em voltar, 3 anos depois, após uma valorização de 153% dos papéis da Brahma, Evandro talvez esteja cometendo o mesmo erro inicial... A não ser que agora tenha uma perspectiva de longo prazo de verdade.

Comprar na alta e vender na baixa: o grande erro dos principiantes... E dos profissionais também!

Como (não) começar a investir em ações?

O primeiro investimento que fiz em ações foi em 1978, aos 14 anos. Peguei todo meu dinheirinho e comprei 2.000 ações ao portador do Banco do Brasil, àquela época algo inusitado para um garoto. Afinal, meu pai nunca havia adquirido ações e considerava o mercado de bolsa uma simples jogatina.

Mas fiquei todo orgulhoso; semestralmente, recortava cupons anexos ao certificado de ações e ia até uma agência do banco receber os dividendos, ou seja, minha participação nos lucros. Hoje, isso já não existe mais. As ações são custodiadas (guardadas) pela Bovespa, que cuida do recebimento de todos os dividendos gerados pelas ações.

Confesso que não ganhei dinheiro com esse investimento. Pelo menos, se eu comparar com o desempenho do Ibovespa no mesmo período. O Banco do Brasil, naquela época, começou a perder parte de suas funções, e a rentabilidade foi declinando. Eu havia cometido um dos erros básicos no investimento: concentrara todo meu dinheiro em uma única empresa. Como não teve um bom desempenho, eu perdi.

Embora essa primeira experiência não tenha me trazido retorno financeiro, foi um marco em minha vida. A partir daquele instante, passei a acompanhar os balanços e todas as notícias relacionadas ao banco.

Certamente, isso foi decisivo na definição de minha vocação profissional. Iniciava-se aí minha educação financeira.

CONCEITO

Dividendo: valor distribuído aos acionistas em dinheiro. Geralmente, é um percentual dos lucros da empresa.

É bom negócio investir em ações?

Veja alguns gráficos da evolução de US$ 1 aplicado no Ibovespa e em ações de algumas famosas empresas.

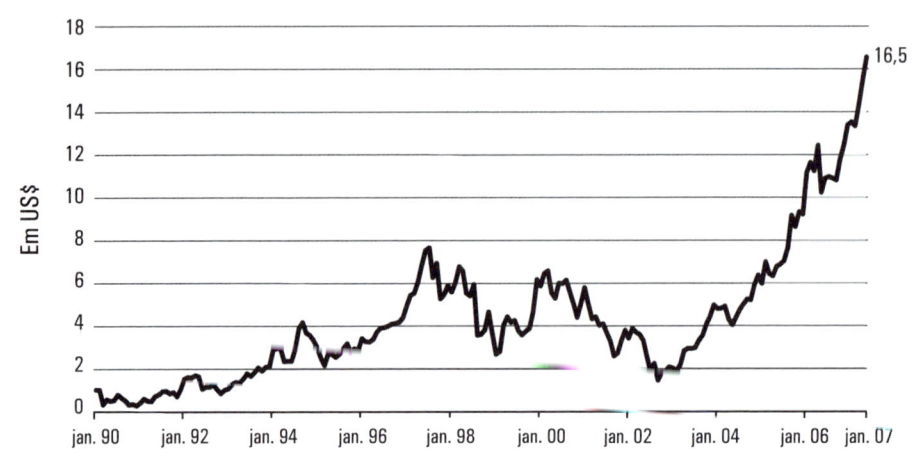

Figura 4.4   Evolução de US$1 investido em uma carteira semelhante ao Ibovespa
Período de janeiro de 1990 a janeiro de 2007

Figura 4.5 Desempenho de US$1 investido em Ambev PN, Itaú PN e Bradesco PN
Período de janeiro de 1990 a janeiro de 2007

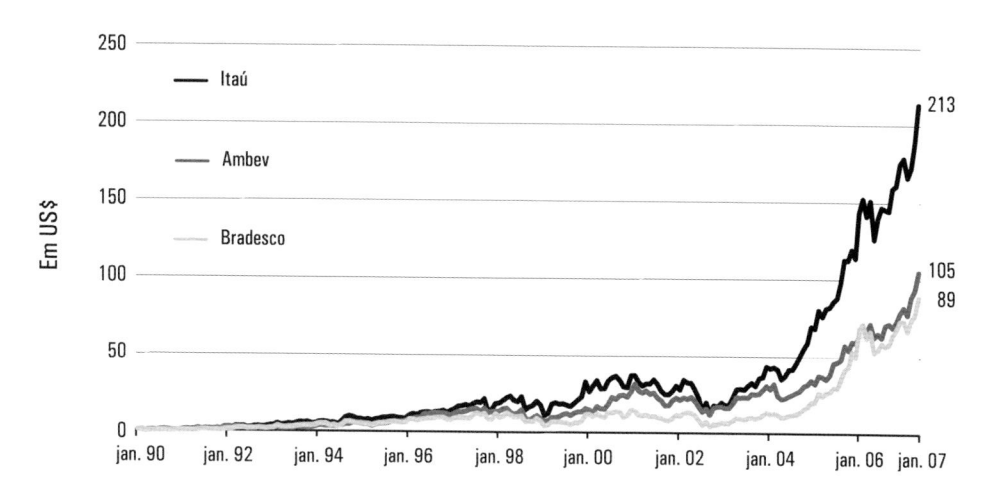

Figura 4.6 Desempenho de US$1 investido em Estrela PN e em Sharp PN
Período de janeiro de 1990 a janeiro de 2007

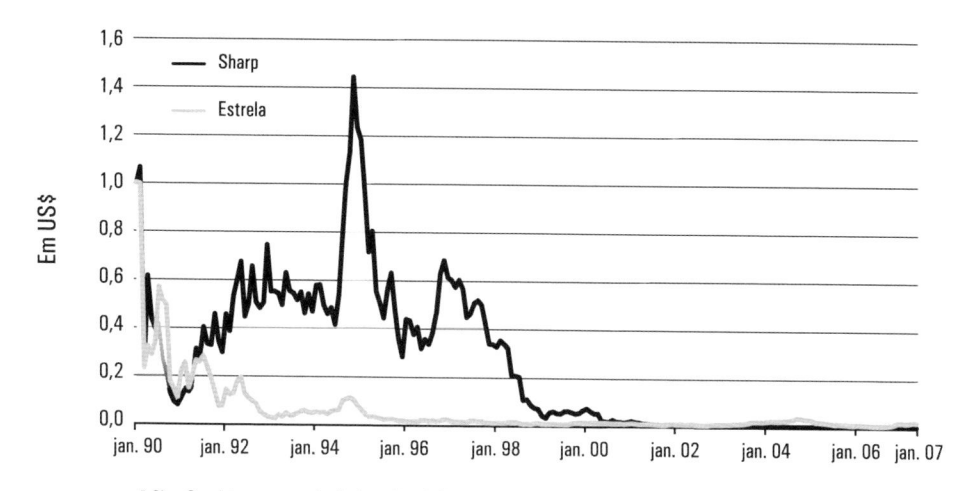

* Obs.: O registro para negociação das ações da Sharp foi cancelado, a partir de 10 de maio de 2002 pela Bovespa.

Conclusões sobre os gráficos:

- Investir em bolsa pode dar muito dinheiro. Se você tivesse investido em ações do Banco Itaú, da Brahma ou do Bradesco, há pouco mais de 17 anos, hoje você estaria muito feliz.
- Investir em bolsa pode fazer você perder muito dinheiro. O investimento em outras empresas não menos famosas, como Estrela e Sharp, deu enormes prejuízos.
- Investir em uma carteira semelhante ao Índice Ibovespa a longo prazo tem sido um ótimo negócio. E para isso você não precisa saber selecionar as ações. A própria bolsa cuida de rebalancear a carteira do Ibovespa a cada quatro meses.

Figura 4.7 Empresas com ações no Índice Ibovespa em set./dez. de 2008

Empresa	Tipo de Ação	Participação no Índice
Petrobras	PN	15,387
Vale Rio Doce	PNA N1	12,639
Bmf Bovespa	ON	3,944
Bradesco	PN	3,55
Vale Do Rio Doce	ON	3,271
Sid Nacional	ON	3,265
Itaubanco	PN	3,193
Usiminas	PNA	3,036
Gerdau	PN	2,866
Petrobras	ON	2,821
Brasil	ON	2,443
Unibanco	UNT	2,427
Itaúsa	PN	2,309
Cemig	PN	1,614
All América Latina	UNT N2	1,459
Cesp	PNB	1,354

Bradespar	PN	1,339
Lojas Americanas	PN	1,27
Cyrela Realty	ON	1,25
Net	PN	1,25
Telemar	PN	1,18
Ambev	PN	1,11
Sadia	PN	1,04
B2w Varejo	ON	1
Perdigão	ON	1
Gol	PN	0,989
Gafisa	ON	0,98
Lojas Renner	ON	0,957
Eletrobrás	PNB	0,929
Eletrobrás	ON	0,869
Gerdau Met.	PN	0,869
Redecard	ON	0,869
Tam	PN	0,818
Tim Participações	PN	0,816
Aracruz	PNB	0,753
Vivo	PN	0,741
Cosan	ON	0,733
Natura	ON	0,722
Embraer	ON	0,718
Duratex	PN	0,712
Copel	PNB	0,707
Eletropaulo	PNB	0,694
V C P	PN	0,684
Ccr Rodovias	ON	0,676
Braskem	PNA	0,667
Pão De Açúcar	PN	0,618
Jbs	ON	0,583
Rossi Resid	ON	0,582

Usiminas	ON	0,565
Cpfl Energia	ON	0,551
Souza Cruz	ON	0,465
Telemar	ON	0,464
Brasil T. Par.	PN	0,445
Sabesp	ON	0,435
Brasil Telecom	PN	0,422
Ultrapar	PN	0,407
Klabin S/A	PN	0,398
Nossa Caixa	ON	0,341
Tran Paulist	PN	0,336
Brasil T. Par.	ON	0,291
Telemar N L	PNA	0,249
Tim Participações	ON	0,236
Light	ON	0,232
Telesp	PN	0,19
Comgás	PNA	0,137
Celesc	PNB	0,136

O Ibovespa adota estratégias muito interessantes:

> A carteira do Ibovespa é atualizada apenas a cada 4 meses. Os ajustes costumam ser suaves, em sua maioria.
> O Ibovespa não faz *market timing*, isto é, não tenta adivinhar se o mercado vai subir ou cair. Ele está, todo dia, 100% investido em ações.
> O Ibovespa usa um importante parâmetro para reajustar sua carteira: liquidez das ações. Por trás dessa aparente ingenuidade, existe uma estratégia muito inteligente. Os investidores estão sempre procurando as melhores alternativas de investimentos para o futuro. Eles estão sempre acompanhando as últimas novidades na Economia, buscando antever quais os setores e empresas a serem mais beneficiados no momento seguinte. Há um incremento no volume de negócios das ações de empresas com maior potencial.

Já aquelas com menor potencial acabam tendo sua participação reduzida no índice. Isso é uma depuração natural. Crescem no Ibovespa as ações com maior potencial e diminuem aquelas com menor potencial de lucros.

Você conhece a Paranapanema, uma mineradora que dominava o Ibovespa nos anos 80? Ela foi perdendo o encanto e, hoje, suas ações são tão pouco negociadas que nem participam da carteira do Ibovespa.

Por outro lado, a Net (antiga Globo Cabo) passou a representar a Nova Economia dentro da Bovespa. Do fim de 2000 ao início de 2001, seu peso saiu de 0% para mais de 8% na carteira do Ibovespa. Hoje, com o estouro da bolha da Internet, ela perdeu liquidez, e seu peso, em maio de 2007, era de 1,70%.

Muitos chamam de **fundo de ações passivo** aquele que se limita a copiar o Ibovespa. Mas perceba que investir no índice não é bem um investimento passivo. Sua carteira, por si só, é bastante ativa, procurando antever os grandes movimentos da Economia.

DICA

Evite fazer carteiras muito diferentes do Ibovespa. Não é fácil navegar contra a correnteza.

Mas é possível vencer o Ibovespa a longo prazo?

No meio acadêmico, existe um grande debate sobre esse assunto. Faço parte do time que acredita que o mercado de ações não é perfeito e que há oportunidades de ganhos acima dos do Ibovespa. Na minha própria experiência prática, tenho obtido resultados superiores ao do Ibovespa ao selecionar ações com maior potencial de valorização. Mas confesso que isso não é nada fácil. Exige muita pesquisa.

Por que tantas pessoas perdem dinheiro na bolsa?

Os investidores, na sua maioria, perdem porque:

> apostam em duas ou três ações apenas. Colocam todos os ovos em poucas cestas e erram. As cestas caem, e os ovos se quebram.

Ou porque:

> não têm uma visão de longo prazo. Entram na bolsa ou saem dela com muita rapidez. Deixam de ser investidores e assumem o lado especulador.

Aposto que os perdedores em ações cometem um desses dois erros, senão os dois juntos.

INVESTIMENTOS

DEVO INVESTIR EM AÇÕES?

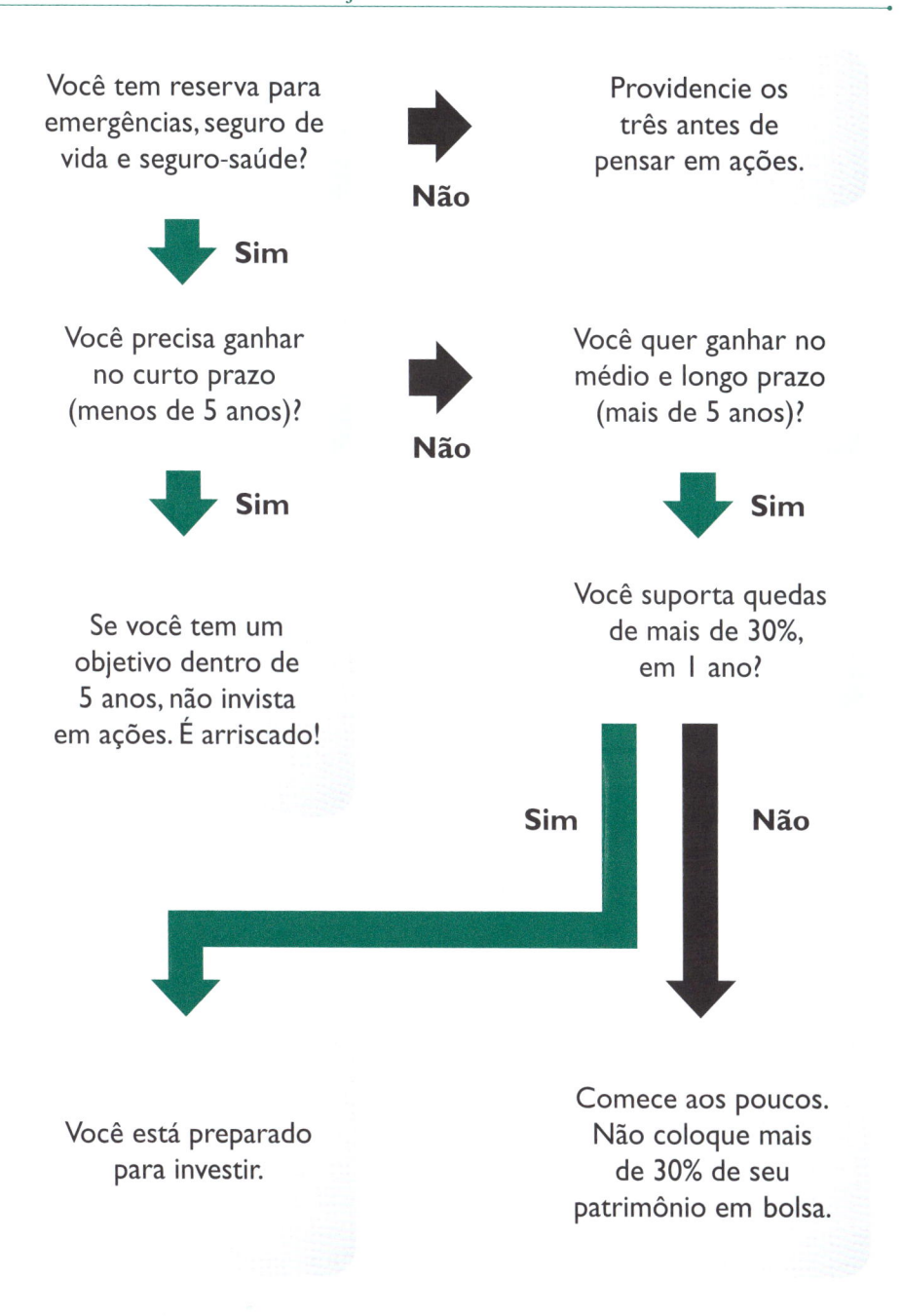

Você tem reserva para emergências, seguro de vida e seguro-saúde?

→ **Não** → Providencie os três antes de pensar em ações.

↓ **Sim**

Você precisa ganhar no curto prazo (menos de 5 anos)?

→ **Não** → Você quer ganhar no médio e longo prazo (mais de 5 anos)?

↓ **Sim**

Se você tem um objetivo dentro de 5 anos, não invista em ações. É arriscado!

↓ **Sim** (do ramo direito)

Você suporta quedas de mais de 30%, em 1 ano?

Sim ↓   **Não** ↓

Você está preparado para investir.

Comece aos poucos. Não coloque mais de 30% de seu patrimônio em bolsa.

[57]

Capítulo 5

Perdendo o medo de investir em ações

"Se o presidente do FED, Alan Greenspan, me confidenciasse qual seria sua política monetária para os próximos dois anos, não mudaria em nada o que eu faço."
Warren Buffet

Os **especuladores** correm riscos em troca da esperança de ganhos no futuro. Mas esses ganhos nem sempre acontecem, porque é muito difícil antever o futuro. Todas as pessoas racionais desejam obter ganhos, o que torna a competição muito acirrada. Por isso, é difícil ganhar sempre.

Não acredito que os especuladores sejam os vilões do mundo financeiro. Muito ao contrário, eles são importantes para o aperfeiçoamento dos mercados. Trazem liquidez, permitindo a quem deseja comprar ações encontrá-las com facilidade ou a quem deseja vender ações assim fazê-lo, em poucos minutos.

Note que estou defendendo os especuladores que correm riscos como todos os demais humanos. Sou radicalmente contra a presença de **manipuladores** no mercado, isto é, de pessoas ou grupos que têm tanto poder que são capazes de conduzir os preços na direção que desejam. Esses, junto com os que detêm informações privilegiadas sobre uma empresa e que obtêm ganhos com suas ações, devem ser punidos e afastados do mercado. As bolsas, em conjunto com a Comissão de Valores Mobiliários, um órgão do governo federal, têm vários instrumentos para impedir a atuação de tais indivíduos.

Neste livro, vamos denominar especulador aquele que aplica com objetivos de curto prazo. Os que fazem aplicações visando ao longo prazo serão chamados de investidores.

Conceitos

Especulador: participante do mercado que aceita correr riscos, visando a um ganho financeiro. Costuma entrar no mercado e dele sair com grande velocidade.

Manipulador: participante do mercado que detém informações privilegiadas sobre uma empresa ou que tem muito dinheiro e começa a conduzir os preços de uma ação na direção que deseja. Trata-se de um vilão no mercado de ações.

Investidor: participante do mercado que tem objetivos de longo prazo.

Afinal, o que é uma bolsa de valores?

Bolsa de valores é um clube de corretores de valores. É uma associação, sem fins lucrativos, que reúne corretores, intermediários no processo de comprar e vender ações. As bolsas preocupam-se em ser transparentes. Todos os negócios realizados são públicos. Qualquer um de nós pode, através da Internet, saber qual foi o último negócio realizado com as ações da Petrobras, por exemplo. Os preços e as quantidades negociadas são divulgados instantaneamente para todo o mundo.

Em bolsa, a melhor oferta de venda encontra a melhor oferta de compra em um determinado instante.

Como o mercado de ações pode ajudar a desenvolver as empresas brasileiras?

Conceitos

Mercado primário: mercado em que as empresas vendem ações a investidores. Uma empresa pode conseguir dinheiro com investidores dando-lhes, em troca, ações. Isso é chamado de mercado primário. Os recursos serão utilizados em projetos da empresa que têm um longo prazo de maturação, isto é, que só começarão a gerar dinheiro daqui a alguns anos. A empresa só tem dois caminhos para levantar esses recursos: contrair dívida ou vender ações. Optar pela segunda alternativa é menos arriscado para as empresas, porque os novos investidores tornam-se sócios apenas dos lucros. Ao contrário dos credores, eles não terão direito de exigir nada em pagamento; receberão apenas uma participação nos lucros quando estes surgirem. Isso costuma ser muito confortável para uma empresa em fase de crescimento.

Mercado secundário: mercado em que os acionistas vendem suas ações para outros investidores. As bolsas de valores são um recinto onde os investidores em ações podem comprar e vender seus papéis através de corretoras. As empresas não se envolvem nessa etapa. Os negócios no pregão da bolsa são feitos entre antigos e novos acionistas da empresa. O mercado de bolsa é chamado de mercado secundário.

Então as empresas não ganham nada com os negócios em bolsa?

Diretamente, não. Mas ninguém compraria uma ação diretamente de uma empresa se não tivesse a oportunidade de vendê-la no momento em que desejasse. O mercado de bolsa, chamado de mercado secundário, é condição necessária para a existência de um bom mercado primário.

Uma empresa que possui ações com boa liquidez, isto é, muito negociadas em bolsa, terá mais facilidade em captar novos recursos no mercado primário. Quando for iniciar um novo projeto, será mais fácil captar recursos de novos investidores se suas ações tiverem bastante liquidez no mercado de bolsa. Os novos sócios vão se sentir mais confortáveis diante da possibilidade de vender as ações no momento em que desejarem. Essa era a vantagem dos felizes proprietários do fusquinha. Eles diziam ter em casa um "cheque ao portador", isto é, podiam encontrar um comprador, a qualquer momento, para o seu carro usado. Isso justificava um valor relativamente maior do fusquinha no mercado de automóveis.

Por que as ações podem ser um excelente investimento a longo prazo?

Se você acredita que o mundo vai se desenvolver bastante nas próximas décadas, comprar ações é uma excelente estratégia. São uma aposta no aumento da produtividade de nossa civilização[1].

Como era o mundo na década de 30?

- As famílias estavam começando a comprar o primeiro eletrodoméstico: o rádio. Hoje, no Brasil, até as famílias de baixa renda contam com modernos aparelhos eletrodomésticos em seus lares.
- As poucas estradas eram ruins, e as viagens demoravam muito tempo. A indústria aeronáutica estava apenas começando.
- A indústria farmacêutica começava a criar os antibióticos.
- A indústria química ainda não havia lançado os plásticos e as fibras sintéticas.
- O computador não havia sido criado.

---

1. Mas há riscos embutidos nisso: lembre-se de que, na Idade Média, houve um declínio na atividade econômica da civilização.

> A televisão estava longe de se estabelecer e levar imagens para todos os cantos do mundo.
> A Internet não era imaginada nem nos melhores livros de ficção científica.

Creio que você concordará que vivemos uma grande revolução, no Brasil e no mundo, nos últimos setenta anos. Quando nossos olhos examinam apenas o curto prazo, costumamos ser muito exigentes. Criticamos os governantes e atribuímos nossa infelicidade às crises econômicas. Entretanto, basta voltarmos os olhos para o passado distante para vermos que o desenvolvimento da humanidade continua a seguir a passos largos sua trajetória.

Quando você detém uma ação de uma empresa, você é sócio do crescimento dessa empresa. Quando compra uma carteira de ações, torna-se sócio da prosperidade desse conjunto de empresas. Se as indústrias aumentarem a produtividade, se os consumidores incrementarem seu poder de compra, você certamente será um grande beneficiário disso.

O professor Jeremy Siegel[2], da Wharton School, nos EUA, conseguiu montar séries históricas dos principais ativos financeiros desde 1802. Ele expõe que cada US$ 1,00 investido em uma carteira de ações em 1802 teria se transformado em US$ 558.945,00, em 1997, descontando-se a inflação. Enquanto isso, aplicações em títulos públicos de renda fixa valeriam, no máximo, US$ 803,00. O investidor que tivesse aplicado em ouro teria apenas US$ 0,84 para cada dólar investido. Por fim, se aquele dólar tivesse ficado parado, valeria apenas US$ 0,07, devido à inflação ao longo de tantos anos.

---

2. SIEGEL, Jeremy J. *Stocks for the Long Run*. 2. ed. McGraw Hill, 1998.

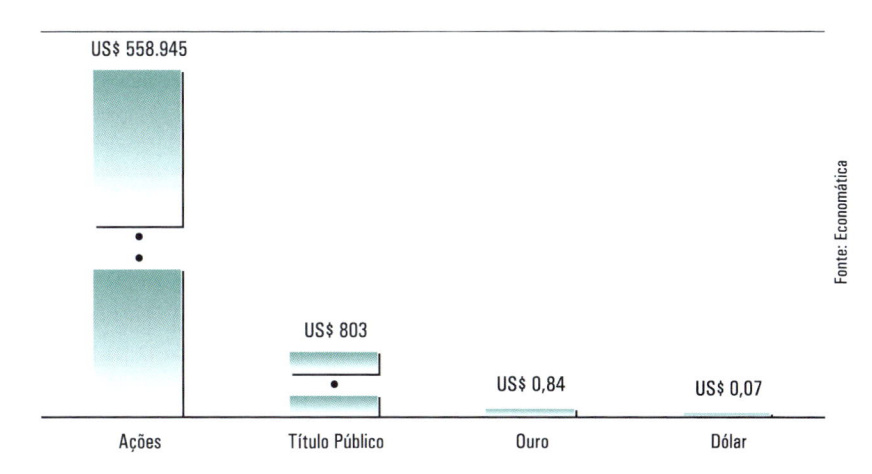

Figura 5.1 Rendimento acumulado por US$1 entre 1802 e 1997 (EUA)

- Ações: US$ 558.945
- Título Público: US$ 803
- Ouro: US$ 0,84
- Dólar: US$ 0,07

Fonte: Economática

Até mesmo o Japão, destruído na Segunda Guerra Mundial, assistiu a um desempenho muito bom em suas ações. Logo após a guerra, a quebra dos conglomerados japoneses e a hiperinflação levaram a uma queda de 98% no valor real das ações japonesas. Em outras palavras, as ações japonesas, em média, passaram a valer apenas 2% de seus preços de antes da guerra.

Entretanto, a partir de 1948, essas ações iniciaram uma fantástica recuperação, obtendo uma valorização anual média 50% superior à das americanas. Entre 1926 e 1997, o mercado japonês teve uma valorização anual média de 4,3% em dólares, superando os rendimentos dos títulos públicos de renda fixa. Siegel[3] comprova que a vitória das ações sobre os títulos públicos ocorreu na Alemanha, também destruída com a guerra, e na Inglaterra.

BOM DEMAIS PARA SER VERDADE! COMO ENFRENTAR A VOLATILIDADE?

Embora sejam um excelente investimento de longo prazo, as ações carregam um grande risco a curto prazo. Os preços das ações apresentam grande instabilidade no dia-a-dia. Isso é chamado, pelo mercado, de volatilidade.

---

3. SIEGEL, Jeremy J. Op. cit.

> **CONCEITO**
>
> **Volatilidade:** instabilidade de preços.

Muitos investidores gostam de perguntar a seus corretores:
– E a bolsa hoje, sobe ou desce?

A resposta é muito difícil de ser dada com precisão. Creio que a chance de a bolsa subir hoje é semelhante à chance de ela cair, ou seja, algo muito próximo de 50%.

Fiz um estudo sobre as variações diárias do Ibovespa de 1968 até 2003. Concluí que o Ibovespa subiu, acima do dólar, em 51% dos dias úteis e caiu em 49% deles.

Fiz o mesmo trabalho considerando variações semanais em dólar do Ibovespa. Observei que o Ibovespa subiu em 53% das semanas, desde 1968, e caiu em 47% delas.

Para períodos mensais, o Ibovespa subiu em 54% dos meses. Para intervalos trimestrais, ganhou também em cerca de 55% dos trimestres. Para anuais, em 56% dos anos. Para períodos de 2 anos, em 59% deles. Para intervalos de 3 anos, em 61% dos períodos. Para períodos de 5 anos, em 71% deles. Para intervalos de 8 anos, em 89% dos períodos. Para períodos de 10 anos, o Ibovespa ganhou em 97% dos períodos.

Observe que o risco de investir em bolsa diminuiu, quanto maior o horizonte de tempo. As Figuras 5.2 e 5.3 revelam isso.

Investimentos

> **Dica**
>
> O risco de investir em bolsa tende a diminuir quanto mais você amplia o período de suas aplicações.

Figura 5.2 Probabilidade de o Ibovespa GANHAR do dólar

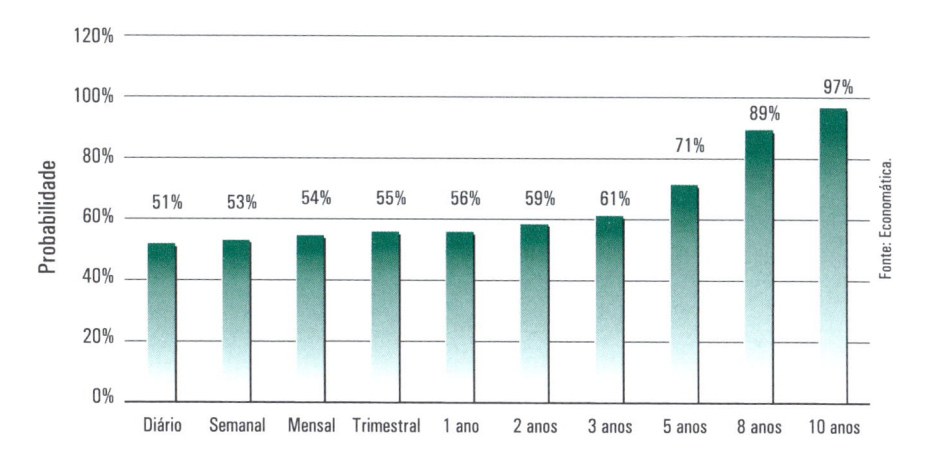

Período	Diário	Semanal	Mensal	Trimestral	1 ano	2 anos	3 anos	5 anos	8 anos	10 anos
Probabilidade	51%	53%	54%	55%	56%	59%	61%	71%	89%	97%

Fonte: Economática.

Figura 5.3 Probabilidade de o Ibovespa PERDER do dólar

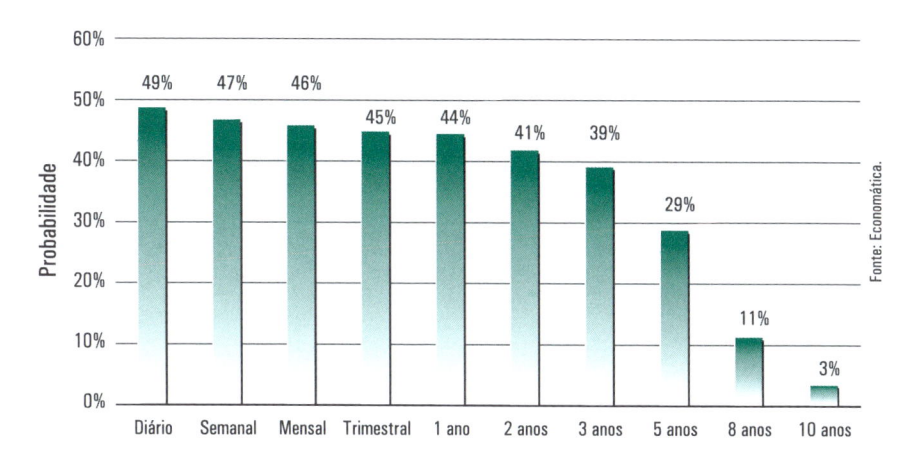

Período	Diário	Semanal	Mensal	Trimestral	1 ano	2 anos	3 anos	5 anos	8 anos	10 anos
Probabilidade	49%	47%	46%	45%	44%	41%	39%	29%	11%	3%

Fonte: Economática.

A longo prazo, o mercado de ações tem se recuperado de suas mais graves quedas.

QUANTO TEMPO LEVOU PARA A BOLSA RECUPERAR SEU VALOR EM DÓLAR DEPOIS DAS MAIORES QUEDAS?

	Pico*	Recuperação	Tempo de Recuperação
Plano Cruzado	abril de 86	janeiro de 94	94 meses
Caso Nahas	abril de 89	outubro de 93	55 meses
Plano Collor	março de 90	janeiro de 92	22 meses
Impeachment	abril de 92	junho de 93	14 meses
Crise do México	dezembro de 94	junho de 96	18 meses
Crise da Ásia	julho de 97	agosto de 2005	97 meses
Crise da Rússia	abril de 98	março de 2000	23 meses
Eleição de 2002	março de 2002	outubro de 2003	19 meses

* Pico é o preço máximo da ação antes de uma forte baixa.

Mesmo assim, quedas nas bolsas são muito dolorosas. Poucos investidores estão preparados para enfrentá-las. A dor de ver seu patrimônio ser moído em poucos instantes é muito intensa. Mas a história tem revelado que os investidores pacientes são muito bem recompensados.

CRISE = OPORTUNIDADE?

O mercado de ações brasileiro é um dos mais emocionantes do mundo. Talvez como um reflexo da alma latina, inquieta e apressada, nossas ações apresentam grande instabilidade a curto prazo. No entanto, é um dos que mais tem recompensado os que nele confiam no longo prazo. A Figura 5.4

mostra o que você teria acumulado se tivesse investido US$ 1,00 no Ibovespa durante as mais recentes crises na Bolsa brasileira. Isso revela que o mercado de ações tem se recuperado e que esses momentos difíceis acabam tornando-se instantes muito oportunos para se investir mais ainda em bolsa.

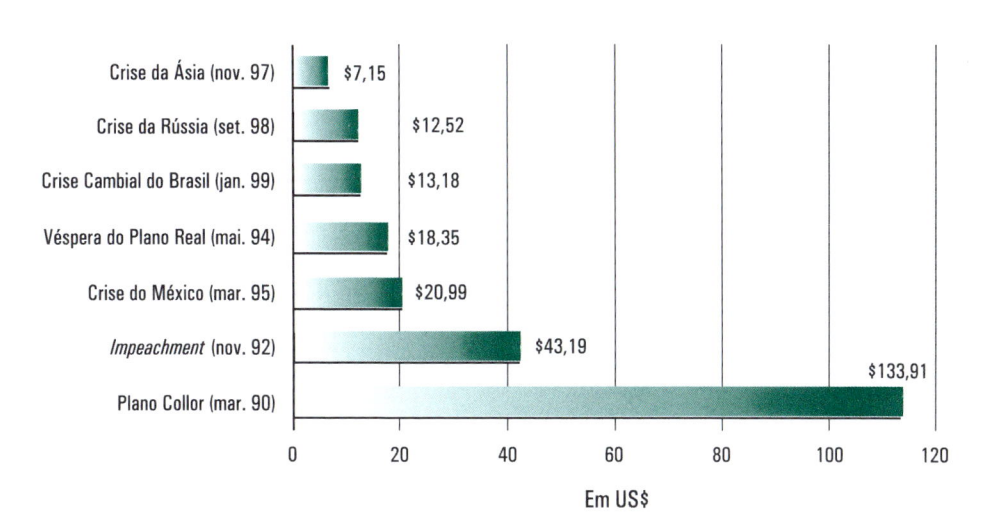

Figura 5.4   Valor em maio de 2007 de US$1 investido ao final das crises

Crise da Ásia (nov. 97)	$7,15
Crise da Rússia (set. 98)	$12,52
Crise Cambial do Brasil (jan. 99)	$13,18
Véspera do Plano Real (mai. 94)	$18,35
Crise do México (mar. 95)	$20,99
Impeachment (nov. 92)	$43,19
Plano Collor (mar. 90)	$133,91

Em US$

Como foi o *crash* de 1929?

A crença de que uma nova era havia sido estabelecida e de que seria impossível uma queda nas bolsas marcou a véspera do grande *Crash* de 1929. Uma revolução nos meios de transporte e de comunicação, através do automóvel e do rádio, trouxe grande euforia aos mercados de ações.

O Banco Central dos EUA (*FED — Federal Reserve*) interpretou[4] o *boom* como uma manifestação de especulação excessiva. Para controlar isso, elevou as taxas de juros. O FED obteve um resultado inesperado. A partir de outubro 1929, ocorreu uma acentuada reversão das expectativas. Fortes quedas se sucederam nas bolsas.

---

4. BERNANKE, Ver Ben. *Non Monetary Effects of the Financial Crisis in the Propagation of the Great Depression.* **American Economic Review,** n. 73, 1983.

A Grande Depressão que se seguiu foi o maior declínio econômico dos tempos modernos. Entre 1929 e 1932, a produção industrial sofreu uma contração nos EUA (-50%), na Alemanha (-40%) e na França (-30%), propagando-se pelo mundo.

Caso[5]

John Raskob, um executivo da General Motors, afirmou, em um jornal americano, em 1929, que qualquer pessoa poderia garantir seu futuro investindo apenas US$ 15 por mês em ações. Ele estimou que, em 20 anos, esse indivíduo iria acumular US$ 80.000 a uma taxa de 24% ao ano, valores plausíveis naqueles períodos de grande euforia.

Para seu azar, poucos dias depois, as bolsas começaram a exibir os piores desempenhos de todos os tempos. O conselho de Raskob foi ridicularizado por muitos anos. Serviu como exemplo da insanidade daqueles que acreditam que o mercado de ações pode subir sempre, esquecendo-se dos riscos envolvidos. Um senador americano chegou a acusar Raskob de ser o responsável pelos enormes prejuízos que pessoas comuns tiveram ao comprar ações no seu pico.

Vinte anos depois, a estratégia sugerida por Raskob teria acumulado US$ 9.000. Trinta anos depois, US$ 60.000. Embora não tenha proporcionado um rendimento tão elevado quanto os 24% projetados, a estratégia ofereceu um rendimento médio de 13% ao ano, bem superior ao retorno obtido pela renda fixa no período.

Os que nunca compraram ações, em vista do ocorrido no grande *Crash*, muitas vezes acabam obtendo bem menos que aqueles que, pacientemente, acumularam ações.

---

5. Extraído de SIEGEL, Jeremy J. Op. cit.

Os brasileiros têm medo de comprar ações...

Muitos brasileiros ainda pensam que a bolsa é um cassino. Acreditam que poucos são capazes de ganhar com ações e que, se eles se atreverem a entrar, sairão como perdedores. Infelizmente, estão ignorando um dos melhores instrumentos para fazer crescer seu dinheiro poupado.

Quando você compra uma ação de uma empresa de capital aberto no Brasil, está comprando um pedaço do capital dessa empresa. Você terá direito a receber parte dos lucros a serem gerados. O acionista da companhia tem uma fatia do futuro da empresa. Assim, uma ação representa um ativo real, lastreado por fábricas, veículos, lojas e por muito capital intelectual.

Depois que foi anunciado o "curralito" na Argentina, o índice da bolsa naquele país valorizou mais de 100% em 3 meses. Em outras palavras, na hora do caos, os investidores lembram-se de que muitas boas empresas vão sobreviver e preferem ter uma fatia delas.

Caso

Há poucos dias, tive o prazer de conhecer João Batista, dentista, funcionário público federal aposentado, residente no Rio de Janeiro. Aos 61 anos, esse simpático cavalheiro já havia acumulado R$ 18 milhões em ações. Investindo, religiosamente, cerca de 30% de seu salário em ações, reinvestindo os dividendos e suportando os momentos de crise no mercado, João Batista deu-me um grande exemplo das recompensas que as ações podem oferecer. Alguns amigos corretores mencionam, discretamente, casos semelhantes de sucesso entre pessoas comuns como o João Batista.

Investir na bolsa é como jogar em um cassino?

Não. A única semelhança entre as bolsas e os cassinos está na incerteza ao se prever o resultado. Há grandes diferenças entre os promotores de jogos e os dirigentes do mercado de ações.

Em um jogo de roleta em cassinos americanos, a banca fica com 5,3% do valor das apostas. Em loterias oficiais, as instituições promotoras ficam com mais de 50% dos valores arrecadados.

Em uma bolsa de valores, as comissões dos intermediários são pequenas e têm caído substancialmente com o advento da Internet. No Brasil, a corretagem geralmente não passa de 0,5%. Dependendo do volume de operações, as corretoras oferecem descontos de até 90% nas comissões. Isto é, se você se transformar em um grande cliente, pode passar a pagar apenas 0,05% de corretagem.

Corretoras *on-line* nos Estados Unidos cobram menos de dez dólares por transação de compra ou de venda. Algo extremamente baixo diante das responsabilidades envolvidas. Mas, mesmo assim, muitas corretoras estão satisfeitas, e seus clientes, mais ainda. No Brasil, esse modelo também já está funcionando, e algumas poucas corretoras cobram uma pequena tarifa fixa por negócio.

Adicionalmente, nas bolsas existem métodos científicos para se "jogar". Análises estatísticas com base no desempenho passado da empresa, estudos sobre o valor relativo, comparações entre os indicadores contábeis e operacionais da empresa e os da concorrência, além de investigações sobre a capacidade de trabalho dos dirigentes das companhias são incansavelmente realizados por centenas de profissionais muito capacitados.

Nos Estados Unidos, grandes cérebros da Física e da Matemática estão fazendo pesquisas sobre o mercado de ações. Eles procuram, arduamente, distinguir os bons investimentos dos maus. Tentam minimizar as chances de erro ao se aplicar o dinheiro em uma ação. Cada vez mais, o investimento em ações se diferencia de um simples jogo.

A Figura 5.5 é muito interessante. Dependendo do tempo em que um aplicador em bolsa fica "sentado sobre" seu investimento, ele tem resultados muito diferentes.

INVESTIMENTOS

Comece olhando o gráfico a partir da esquerda. Se o investidor tivesse investido em uma carteira semelhante à do Ibovespa por períodos de 1 ano, teria enfrentado uma grande volatilidade. O desempenho anual do Ibovespa variou, em dólares, entre +446% e –87%. Imagine! Houve 1 ano em que você teria quintuplicado sua riqueza em dólar; mas, em um outro ano, teria reduzido sua aplicação a apenas 13% do valor no início do ano. Haja estômago!

Mas a beleza do gráfico vem a seguir. Quando o investidor segura seus investimentos em bolsa por 2 anos, reduz substancialmente a volatilidade. O desempenho médio anual do Ibovespa variou entre +148% e –53%.

Se o investidor ficasse segurando seus investimentos por 3 ou 4 anos, haveria uma redução ainda maior nessa variabilidade dos resultados.

Moral da história: uma boa maneira de você conviver com a instabilidade das bolsas é ficar quieto, segurando uma carteira bem diversificada de ações por longos períodos. Mesmo nas graves crises das três últimas décadas, o mercado se recuperou[6], proporcionando grandes recompensas aos investidores mais calmos e pacientes.

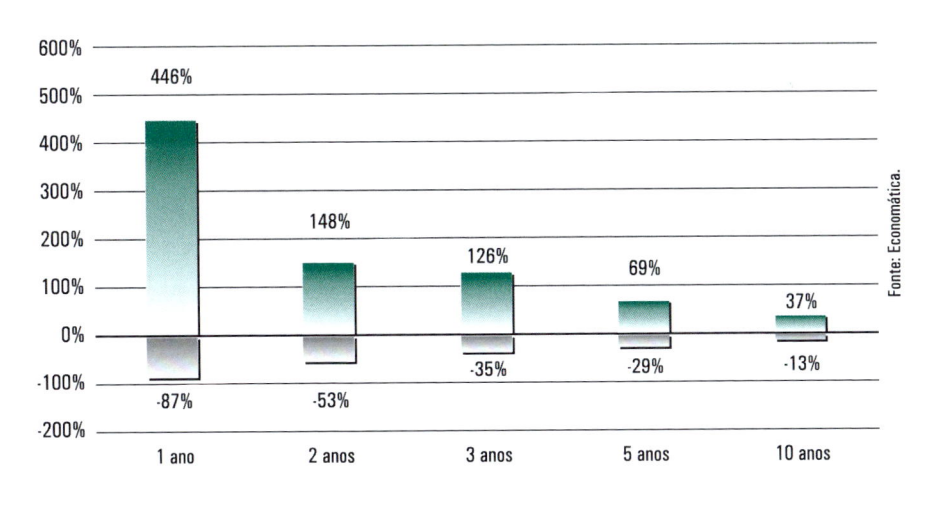

Figura 5.5   Retornos anuais em dólar, com diferentes prazos de investimentos

Prazo	Máximo	Mínimo
1 ano	446%	-87%
2 anos	148%	-53%
3 anos	126%	-35%
5 anos	69%	-29%
10 anos	37%	-13%

Fonte: Economática.

---

6. Resultados do passado não necessariamente se repetirão no futuro.

Os analistas acertam sempre?

Os analistas de investimentos acertam muito. Mas também erram. Principalmente quando seus estudos visam ao curto prazo. Entretanto, desempenham um importantíssimo papel ao pressionar os dirigentes das companhias a serem mais transparentes: exigem que os resultados das empresas sejam cada vez melhores, privilegiam os dirigentes mais eficientes e contribuem para que as melhores alternativas sejam as escolhidas por seus clientes.

Nem sempre existe um consenso entre os analistas. Como tudo na vida, há divergências entre os especialistas. Antever o futuro é uma tarefa árdua, e o principal compromisso do analista é trabalhar duro para acertar mais do que errar.

Seria possível ganhar do Ibovespa?

Sim. Existem, basicamente, duas estratégias para isso:

a) *Market timing*: tentativa de antever os momentos de alta e de baixa no mercado de ações, procurando comprá-las somente quando o mercado subir e vendê-las antes de o mercado cair. O oposto a isso é a estratégia "comprar e segurar", isto é, investir em ações e não sair do mercado.
b) Seleção de ações: tentativa de escolher ações que terão um desempenho superior ao do índice Ibovespa.

David Schwartz[7] calculou que, entre 1919 e 1994, um hipotético investidor que tivesse a habilidade de sempre investir às vésperas de uma alta nas bolsas e de vender suas ações antes das quedas teria tido um resultado fantástico na Inglaterra. Ele teria transformado $ 1 em $ 400.000.

Mas, certamente, tal investidor hipotético também deve ter as chaves do Paraíso e ser muito amigo do Papai Noel... Em outras palavras,

---

7. SCHWARTZ, David. *The Stock Market Handbook*. 2. ed. Burleigh Publishing, 1995.

embora a habilidade de antever as altas e baixas da Bolsa pudesse ser algo extremamente lucrativo, não acredito que esse investidor exista.

Assim como é muito difícil tomar a decisão de vender ações quando todos estão otimistas e as bolsas não param de subir, é terrivelmente doloroso comprar ações quando as bolsas estão desabando e os jornais não param de trazer notícias ruins.

A quantidade de ruídos no mercado de ações é tamanha que considero altamente improvável que alguém seja capaz de filtrar corretamente as informações realmente relevantes sobre o desempenho dos mercados a curto prazo. Isso faz com que os investidores que adotam a estratégia mais simples de "comprar e segurar" acabem por superar, a longo prazo, os que preferem fazer *market timing*.

Caso

No dia 15 de janeiro de 1999, Paulo, um gestor de carteira de ações, teve uma das experiências mais marcantes de sua vida. Ele administrava a carteira de ações de um grande investidor. As bolsas vinham amargando enormes prejuízos depois da Crise da Rússia, da demissão do presidente do Banco Central e do sentimento generalizado de que o Brasil iria quebrar. Paulo mantinha-se fiel ao princípio de que bolsas são para o longo prazo e que aquela crise toda, um dia, seria superada.

Aquele cliente de Paulo estava muito preocupado. Havia ligado quatro vezes durante a semana, questionando se não seria melhor vender as ações, garantindo parte do capital. Na manhã do dia 15, ele estava ainda mais nervoso. Praticamente ordenou que Paulo vendesse as ações. O sócio de Paulo já estava convencido a ceder. A pressão era muito grande e, afinal, ele era o cliente. A contragosto, Paulo preparou um fax para a corretora executar a venda de metade das ações. Discou o número da corretora e colocou o papel na máquina de fax. Ao mesmo tempo, resolveu

> dar uma última olhada no computador. Havia uma importante notícia: o Banco Central acabara de anunciar mais uma mudança no câmbio. Ele passaria a ser livre. Os mercados reagiram muito positivamente, e as ações começaram a subir fortemente. Paulo interrompeu imediatamente a transmissão do fax, segurando o papel que já começara a ser engolido pela máquina. Ligou para a corretora dizendo que iria fazer uma revisão da operação em dez minutos. Fez pequenas mudanças na carteira, privilegiando empresas exportadoras que deveriam ser beneficiadas com a decisão e enviou a nova mensagem. O Ibovespa subiu, somente nesse dia, 33%.
>
> O que teria acontecido se Paulo tivesse dado ouvidos às emoções de seu cliente e vendido toda a carteira? Ele teria saído da Bolsa no melhor dia dos últimos 10 anos...

Fazer *market timing* é um jogo muito arriscado. Os ganhos podem ser muito grandes, mas as perdas também.

Bolsa é para o longo prazo; não dê ouvidos às crises...

Nos EUA, existem várias publicações especializadas em *market timing*, isto é, em indicar os melhores momentos de entrar no mercado e dele sair. Praticamente, todas têm oferecido resultados desapontadores. As que parecem ter uma boa *performance* têm uma série histórica muito curta, o que não nos permite distinguir se elas, realmente, têm uma habilidade superior em suas previsões ou se, simplesmente, tiveram sorte nesse curto período.

Investir para o longo prazo não significa deixar suas ações trancadas em um baú

A economia brasileira é muito dinâmica. Novos projetos surgem e dão impulso a jovens empresas. Por outro lado, algumas empresas tradicionais sofrem mudanças e deixam de ser eficientes. Investir em ações implica acompanhar, a distância, a evolução das companhias.

O Ibovespa, o IBRX e o FGV-100[8] são referenciais sobre as alterações na Economia. Procure sempre observar as mudanças em sua composição. Faça alterações suaves em sua carteira de ações, incorporando as últimas informações disponíveis. Pequenos rebalanceamentos trimestrais costumam ser compensadores. Se isso for difícil para você fazer, pense em investir em fundos de ações que acompanhem um índice.

Dicas

Como merecer as recompensas oferecidas pelo Ibovespa?

> Não entre muito rápido no mercado de ações. Se você ficou empolgado com o que leu neste capítulo, tenha calma. Não saia vendendo seus imóveis ou transferindo todo o saldo de suas aplicações em renda fixa para investir em ações. É preferível fazer a realocação com parcimônia, evitando o azar de fazer essa mudança radical em um mau momento. Se você for investindo aos poucos, ao longo de 3 a 5 anos estará reduzindo o risco de efetuar uma mudança às vésperas de uma forte queda nas bolsas.

> Tenha sempre em mente que o investimento em bolsa é para o longo prazo. Um período de 10, 20, 30 ou 40 anos, dependendo de sua idade atual, deve ser seu horizonte de tempo. Não se importe com os escândalos na política, as guerras no Oriente Médio, as demissões dos ministros ou as novas pesquisas eleitorais. Isso tudo é irrelevante se você acredita estar em um mundo que vai prosperar muito nos próximos anos.

---

8. IBRX e FGV-100 são índices de ações criados há poucos anos. Neste livro mencionei diversas vezes o Ibovespa por ser o mais antigo e mais conhecido.

> Pare de consultar diariamente os jornais e a Internet para avaliar sua fortuna em ações. Isso só pode lhe causar dois efeitos colaterais: a) arrependimento por ter escolhido mal sua aplicação ou b) euforia por ter tido sorte na escolha, levando-o a abusar nos gastos correntes. Você não é um corredor de 100 metros, mas um fundista. Sua vitória ou derrota somente será confirmada no final, que ainda está muito distante de hoje.
>
> Mantenha-se firme durante as crises. Aproveite até para comprar um pouco mais durante essas "liquidações", que, de tempos em tempos, acontecem no mercado de ações.

Como comprar ações?

Visite o *site* www.bovespa.com.br. Escolha uma corretora conceituada e abra uma conta nessa instituição. Muitas corretoras permitem operações pela Internet, facilitando a vida dos que não residem nas grandes cidades. Outra alternativa é consultar o gerente de seu banco sobre fundos de ações. Você também pode conhecer os fundos de ações, consultando as páginas de Economia dos grandes jornais. A partir de R$ 100,00, você pode investir em ações ou em fundos, pela Internet.

Se você deseja conhecer mais sobre os fundamentos do mercado de ações, não deixe de ler o apêndice deste livro e novos artigos que escrevo no *site* www.halfeld.com.br.

Devo investir em ações diretamente ou em fundos?

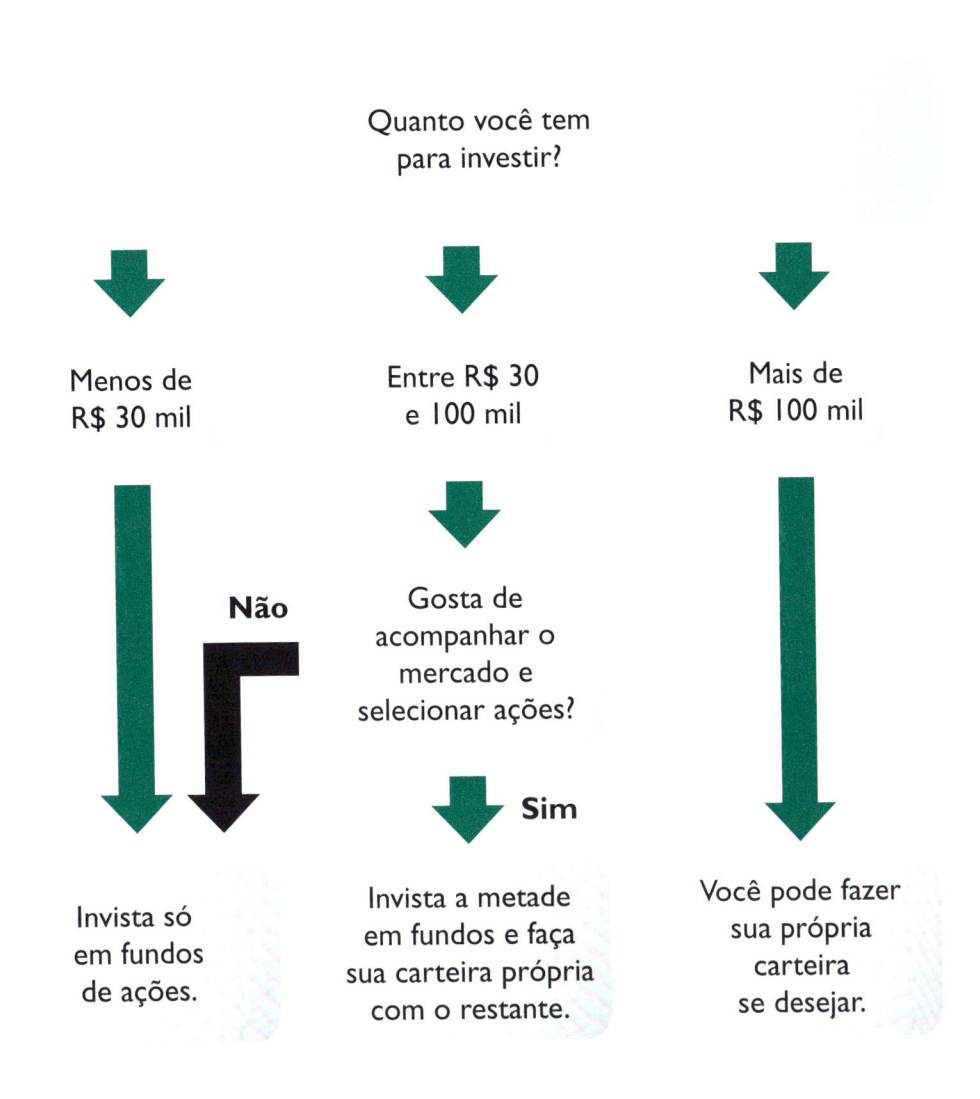

Quanto você tem para investir?

- Menos de R$ 30 mil
- Entre R$ 30 e 100 mil
- Mais de R$ 100 mil

Gosta de acompanhar o mercado e selecionar ações?

- **Não** → Invista só em fundos de ações.
- **Sim** → Invista a metade em fundos e faça sua carteira própria com o restante.

Mais de R$ 100 mil: Você pode fazer sua própria carteira se desejar.

Capítulo 6

Os prazeres e os riscos dos negócios próprios

"Seja seu próprio patrão."
Conselho Popular

Com certeza, você conhece muitos exemplos, em sua família ou em seu círculo de amigos, de pessoas que obtiveram sucesso em negócios próprios. Praticamente todos os bilionários ficaram ricos com negócios próprios. Até mesmo Warren Buffett, conhecido pelos seus extraordinários investimentos em ações, teve participação ativa em muitos negócios.

Não tenho dúvidas de que os mais espetaculares ganhos estão reservados aos empreendedores. Com poucos reais, é sempre possível estabelecer uma carreira vitoriosa no mundo dos negócios. Particularmente no Brasil, há inúmeras oportunidades para esses novos e pequenos empresários. Assim, motoristas de caminhão tornaram-se proprietários de grandes empresas de transporte; bancários chegaram a ser banqueiros; jornalistas viraram donos de editoras; médicos transformaram-se, em pouco tempo, em proprietários de hospitais; garçons construíram cadeias de restaurantes.

Mas você também já deve ter conhecido inúmeros exemplos de pessoas que perderam tudo o que tinham em negócios próprios. Funcionários de empresas estatais que aderiram a planos de demissão criaram um pequeno negócio e, em poucos meses, perderam tudo. Engenheiros bem empregados que desistiram de seus cargos montaram suas próprias construtoras e viram-se totalmente endividados em pouco tempo. Herdeiros bem-intencionados que cometeram alguns poucos erros e colocaram todo o patrimônio da família a perder.

Em resumo: negócios próprios oferecem enormes oportunidades de ganhos, mas também implicam enormes riscos.

Mas por que negócios próprios são arriscados?

Porque o empreendedor concentra todas as suas energias e recursos financeiros em um só negócio. Ele não se beneficia da diversificação. Tendo apenas um negócio próprio, você estará colocando todos os ovos na mesma cesta. É a melhor maneira de ganhar muito dinheiro, mas também é a melhor maneira de perder muito.

Investir em negócios próprios é mais arriscado do que investir na bolsa?

Creio que sim. Pesquisa do SEBRAE-SP[1] indica que, na média, no Estado de São Paulo, a taxa de mortalidade das empresas é de 32% no primeiro ano de atividade. Em termos acumulados, é de 44% no segundo ano, de 56% no terceiro, de 63% no quarto e de 71% no quinto ano. Ou seja, após 5 anos, em média, apenas 29% das empresas continuam em atividade.

Vou tentar ilustrar melhor as diferenças entre o investimento em negócios próprios e em bolsa. A Figura 6.1 exibe dois tipos de negócios.

O primeiro estilo de negócio (1) vem a ser o cultivo de sementes e sua transformação em mudas de árvores. Elas são espalhadas na terra fértil, na esperança de que algumas germinem, transformando-se em mudas. Isso pode significar um crescimento físico de 10 mil vezes em

---

1. SEBRAE-SP. *Estudo da Mortalidade de MPES Paulistas*. Dez., 1999.

relação à semente. Analogicamente, o investimento inicial em uma microempresa pode ser de apenas R$ 1 mil. Após alguns poucos anos, ela cresce exponencialmente, chegando a valer R$ 10 milhões. Agora estamos diante de uma muda de árvore, ou seja, uma média empresa com potencial para transformar-se em uma grande árvore, ou melhor, em uma grande empresa.

Figura 6.1 Empresas emergentes e empresas maduras

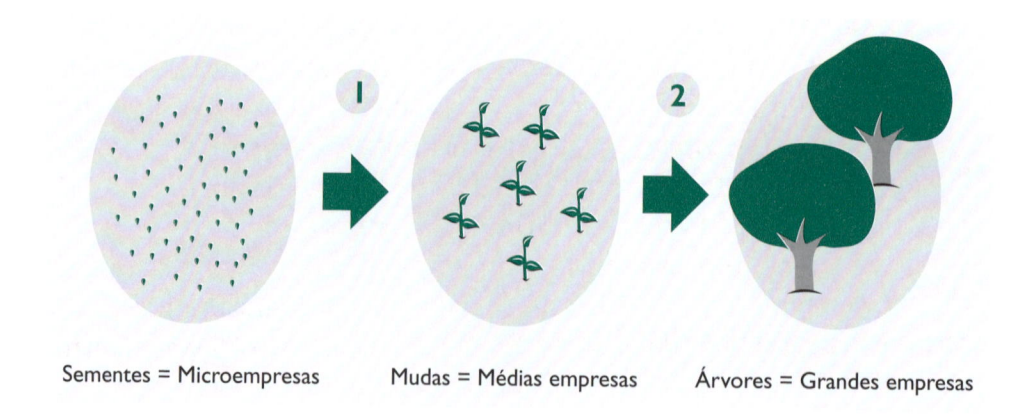

Sementes = Microempresas   Mudas = Médias empresas   Árvores = Grandes empresas

O segundo estilo de negócio (2) vem a ser o cultivo de mudas de plantas e sua transformação em árvores adultas e grandes. Por analogia, uma média empresa de R$ 10 milhões pode crescer bastante e passar a valer 100 vezes mais, ou seja, R$ 1 bilhão.

Analisemos detalhadamente. Uma semente pode crescer 10 mil vezes. Uma muda de árvore pode crescer apenas 100 vezes. Em princípio, o investimento em sementes parece mais atraente, não?

Mas cuidado! Poucas sementes sobreviverão. Elas são frágeis e dependem de muitas variáveis para se transformarem em mudas. O mesmo acontece com as microempresas. Muito poucas vão se transformar em médias empresas.

Em resumo: o investimento em microempresas (sementes) oferece enormes ganhos, mas grandes riscos. O investimento em médias empresas (mudas) oferece ganhos menores, mas riscos também menores.

Investir em ações de empresas nas bolsas de valores é como investir em uma muda, na esperança de que ela cresça e se transforme em uma grande árvore. Investir em um negócio próprio é como investir em uma semente; os ganhos podem ser astronômicos, mas os riscos são bem mais elevados.

Como reduzir o risco do investimento em pequenas empresas?

- Diversificar. Essa tem se mostrado uma excelente estratégia de investimentos no Vale do Silício, na Califórnia. Ações de microempresas de Internet e de Biotecnologia são adquiridas pelos *venture capitalists*[2] e por Incubadoras e, depois, revendidas com ganhos astronômicos. Esse novo estilo de investimentos já fez muitos bilionários nos EUA, porque conta com o acelerado crescimento dessas empresas e com a capacidade de se diversificar o risco, investindo em diferentes empresas simultaneamente.
- Cuidar muito bem da "cesta". Afinal, todos os "ovos" estão dentro dela. O que significa assumir um elevado risco e fazer de tudo para administrá-lo bem.

É possível eu fazer uma carteira de investimentos em microempresas com meu dinheiro?

Infelizmente, isso é muito difícil no Brasil. Muitos empresários trabalham na informalidade. O governo vem tentando cobrar alíquotas bem pequenas dessas empresas para tirá-las da situação ilegal. O que seria realmente muito bom para o país.

Outro grande desafio é a saída do investimento. Se você desejar vender sua participação na microempresa, terá enormes dificuldades para encontrar um comprador. Qualquer pessoa terá problemas em aceitar os riscos de uma sociedade com estranhos.

---

2. *Venture capitalists* são investidores em empresas emergentes.

Os *venture capitalists* e as incubadoras de empresas exigem muita transparência dos empreendedores, antes e durante o investimento. Além disso, o mercado de capitais americano é muito mais desenvolvido que o mercado brasileiro, permitindo grandes facilidades na hora da saída do investimento.

E SE EU FOSSE O SÓCIO CONTROLADOR DE VÁRIAS PEQUENAS EMPRESAS?

Aí você estaria incorrendo no erro de falta de foco. As pequenas empresas, geralmente, enfrentam mercados altamente competitivos e exigem total dedicação de seus sócios. É cada vez mais difícil ser um vitorioso sem manter o foco em poucas atividades.

MAS SOU UM EMPREENDEDOR NATO. O QUE DEVO FAZER?

Ótimo! Inicialmente, vamos definir seu negócio.

Essencialmente, existem duas formas para ser bem-sucedido em negócios: fazer algo totalmente novo ou fazer algum negócio tradicional, porém melhor que os concorrentes.

Se você descobrir uma fórmula eficiente contra a calvície masculina, certamente será uma pessoa bem-sucedida. Outra alternativa seria manter um salão de beleza com excelente padrão de atendimento, a preços razoáveis e com ótima localização. A primeira alternativa exige uma enorme criatividade. Já a segunda pode ser viável, embora demande um enorme esforço hoje, amanhã, nos fins de semana e sempre. Em suma, ou você tem que ser um gênio criativo, ou tem de trabalhar duro, mais e melhor do que seus concorrentes.

Caso

O primeiro McDonald's foi aberto em 1948, na Califórnia, por Dick e Mac McDonald. Ray Kroc, um vendedor de máquinas, certo dia visitou a lanchonete e fez uma proposta para se tornar franqueado. Quatro anos depois, Ray já operava 14 lojas. Em 1961, comprou a empresa das mãos dos fundadores, pagando US$ 2,7 milhões. Em 1965, a empresa lançou ações no mercado, ao preço de US$ 22,50 cada uma. Hoje, com mais de 21.000 lojas espalhadas pelo mundo, o investimento naquela primeira ação vendida ao público teria se valorizado 755 vezes.

O McDonald's é um bom exemplo de como uma empresa pequena pode se tornar um gigante com o apoio do mercado de capitais.

O Brasil é um país com milhares de empreendedores. Isso é muito bom! Entretanto, é importante que eles procurem se capacitar e conhecer profundamente os riscos dos negócios. Com isso, nós poderíamos reduzir os atuais índices de mortalidade das empresas brasileiras. Conscientes dos riscos, os empreendedores poderão concentrar suas energias e seus escassos recursos financeiros nas atividades em que eles realmente terão vantagens competitivas.

Capítulo 7

Como administrar riscos

"A palavra risco deriva do italiano risicare *que significa ousar. Risco é uma escolha, e não um destino."*
Peter Bernstein

Viver é sempre arriscado. Se você sair de casa para dar uma simples caminhada, já estará enfrentando alguns riscos. Um atropelamento ou um assalto podem mudar totalmente sua vida.

Talvez você seja uma pessoa bem conservadora, do tipo que jamais voaria de ultraleve ou que nunca iria a um caixa eletrônico, à noite. Dessa maneira, você está administrando seus riscos.

Assim como em nossas vidas, não há investimentos sem riscos. O segredo está em conviver com eles, balanceando as recompensas oferecidas pelas diversas aplicações com a possibilidade de perder em cada uma.

O que é risco de um investimento?

Se você sempre recebe exatamente o que esperava de uma aplicação financeira, está trabalhando livre de risco. Entretanto, todos os investimentos trazem surpresas decorrentes de eventos inesperados. Risco é a parcela inesperada do retorno de um investimento.

Quais são os tipos de riscos?

Em essência: risco do negócio, risco do mercado, risco de crédito, risco de liquidez e risco de perda do poder de compra.

Risco do negócio

Algumas surpresas são específicas de cada tipo de investimento. Suponha que você tenha adquirido ações da Brahma. As conseqüências de sua fusão com a Antarctica deverão impactar apenas os acionistas das duas empresas.

No caso de um imóvel, a abertura de uma boate em frente a sua casa é algo que trará conseqüências para você, mas que não vai afetar o preço dos imóveis do outro lado da cidade.

Se, em 1990, você tivesse investido todas as suas economias nas ações do Mappin ou da Mesbla, hoje você não teria mais nada. Essas empresas de varejo enfrentaram grandes dificuldades e fecharam as portas. Os acionistas perderam todo o investimento. Mas perceba que, se você tivesse concentrado seus investimentos nessas duas ações, estaria contrariando a estratégia de só investir em ações através de carteiras muito diversificadas, pulverizando o dinheiro entre dezenas de empresas. A diversificação é o melhor antídoto contra o risco do negócio.

Risco do mercado

Algumas surpresas são mais genéricas e decorrem de notícias sobre a macroeconomia brasileira, como uma alta nas taxas de juros, que deve reduzir os preços das ações em geral e, mais suavemente, dos imóveis também.

Outras dizem respeito ao comportamento da economia mundial, por exemplo, uma recessão nos Estados Unidos. Em um mundo globalizado, isso terá conseqüência imediata na economia de quase todos os países. Tal tipo de risco é não-diversificável. Por mais que você tente diversificar suas aplicações, nunca estará completamente livre dele. Observe a Figura 7.1. Existe um limite para a diversificação. A partir daí, surge o risco do mercado, que é um risco não-diversificável.

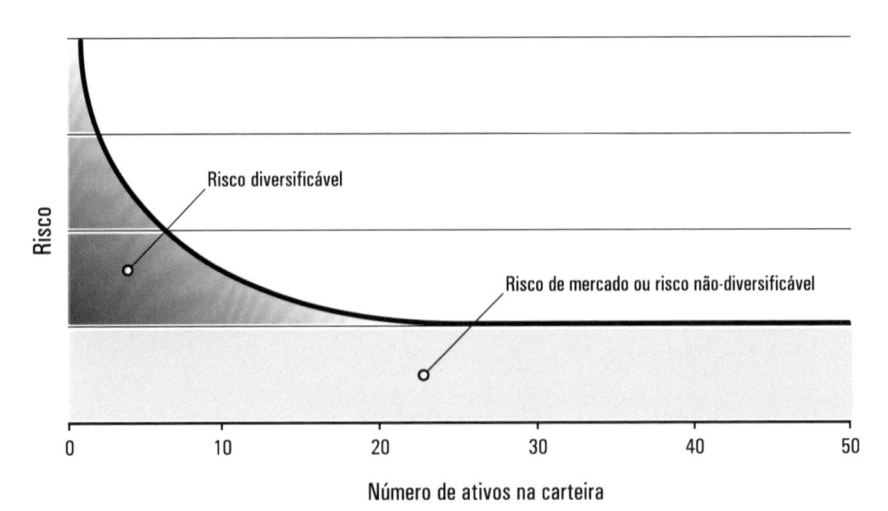

Figura 7.1   A redução do risco do negócio através da diversificação

Assim, quando você tiver que vender um ativo, talvez tenha que aceitar um preço inferior ao que pagou. Os preços das ações, do dólar, do ouro e até dos imóveis flutuam diariamente. Esses preços são determinados pela lei da oferta e da procura. Se houver mais compradores do que vendedores, os preços sobem. Se houver mais vendedores do que compradores, os preços caem. O que determina essa proporção entre compradores e vendedores são diversos fatores. A longo prazo, as taxas de juros e os lucros gerados pelas empresas são os principais determinantes. Mas, a curto prazo, os mercados são muito instáveis. Um boato, um escândalo político ou um acidente são capazes de mover o mercado inteiro. Por isso, é importante que você se isole desses exageros do curto prazo.

Risco de crédito

É o risco que você corre ao emprestar dinheiro a uma pessoa ou a algumas empresas. Talvez elas não honrem o compromisso de lhe pagar de volta. Isso pode acontecer também quando você compra um CDB (Certificado de Depósito Bancário) de um banco que venha a ser liquidado. No Brasil, existe o FGC (Fundo Garantidor de Créditos). Ele dá uma proteção para os depósitos à vista, o RDB, o CDB e a caderneta de poupança até o valor total de R$ 20.000,00[1] por depositante, por instituição financeira. Se você tem depositado no banco um valor superior a esse, analise com mais critério a segurança do banco e pense em diversificar, abrindo contas em outras instituições.

Os Fundos de Investimentos Financeiros não são cobertos pelo FGC. Eles são considerados pessoas jurídicas separadas do banco, que apenas faz o papel de administrador do fundo. Os cotistas são os verdadeiros proprietários do fundo e podem, a qualquer momento, mudar o administrador.

Risco de liquidez

O conceito de liquidez é uma referência ao prazo e ao custo com que um investimento se transforma em dinheiro vivo. As notas e moedas em seu bolso são considerados ativos perfeitamente líquidos. Imóveis são bens pouco líquidos; negócios próprios são, geralmente, ainda menos líquidos.

Suponha que você tenha uma pequena casa de campo. Certamente, terá de esperar muitas semanas até que alguém faça uma oferta pela sua propriedade. Se você precisar vendê-la imediatamente, deverá aceitar um preço bem abaixo do valor desejado inicialmente. Esse será o custo de transformar um bem pouco líquido em dinheiro vivo.

Vender uma parte ou toda uma pequena empresa pode ser muito difícil. Se você tem mais sócios na empresa que desejam continuar no negócio, não vai ser fácil encontrar quem adquira sua parte. Outros possíveis investidores terão receio de se associar a estranhos. Adicionalmente, os livros contábeis de uma pequena empresa podem esconder dívidas trabalhistas ainda não reclamadas pelos empregados, além de eventuais sonegações fiscais feitas no passado e ainda sujeitas à fiscalização. Tudo isso torna a venda da participação em uma pequena sociedade muito difícil de ser concretizada, a não ser que se concedam grandes descontos.

---

1. Em outubro de 2003.

Mas, se você tem aplicações em uma caderneta de poupança, poderá ir ao banco e sacar prontamente o dinheiro, sacrificando apenas o rendimento dos últimos dias. Hoje, com sistemas de atendimento telefônico (*home banking*) e serviços pela Internet, essa tarefa ficou ainda mais simples.

Aplicações em fundos de ações são convertidas em dinheiro três dias úteis após a ordem de resgate. Se você desejar vender uma ação da Petrobras PN, por exemplo, deverá esperar o mesmo prazo para a liquidação da operação. Entretanto, se detiver uma ação da Fosfértil ON[2], provavelmente precisará aguardar alguns dias até encontrar uma boa oferta no mercado da Bovespa, além dos tradicionais três dias úteis para a liquidação.

Figura 7.2 Hierarquia de liquidez de ativos

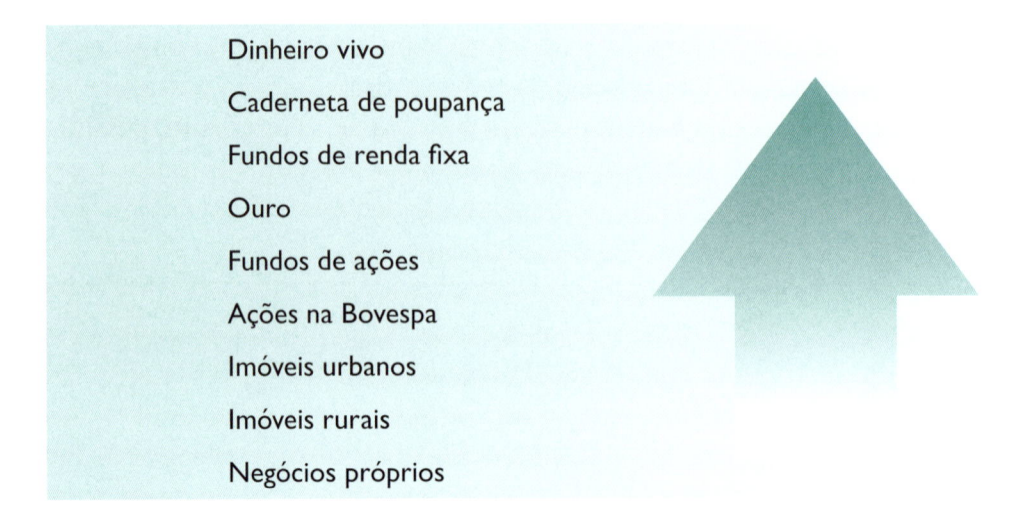

Dinheiro vivo
Caderneta de poupança
Fundos de renda fixa
Ouro
Fundos de ações
Ações na Bovespa
Imóveis urbanos
Imóveis rurais
Negócios próprios

A Figura 7.2 revela a ordem mais comum de liquidez de alguns bens. Naturalmente, há exceções, dependendo de características específicas do ativo. Assim, uma padaria, em uma esquina de grande movimento, pode estar sendo cobiçada por muitos comerciantes e ser negociada no mesmo dia.

---

2. Fosfértil é uma importante produtora de insumos para a fabricação de fertilizantes. Suas ações ON têm muito pouca liquidez. Já suas ações PN possuem boa liquidez.

Muitas empresas foram levadas à falência porque detinham bens muito pouco líquidos e não conseguiram vendê-los a tempo de pagarem suas dívidas.

Tenho testemunhado a triste experiência de algumas famílias que, diante da dor de vender alguns de seus bens imóveis, deixam os juros bancários de empréstimos se acumularem. Em poucos meses, a dívida atinge valores muito superiores aos dos imóveis. A ruína da família, ao menos material, passa a ser inevitável.

Muitos outros tristes exemplos são conhecidos. Diante de uma doença ou de um acidente, famílias percebem que todas as suas reservas estão sob a forma de bens pouco líquidos. Só restam duas alternativas: aceitar pagar juros altíssimos em empréstimos ou conceder descontos substanciais aos possíveis compradores que detenham dinheiro em mãos.

Você já deve ter ouvido as expressões "galinha morta" ou "vender uma propriedade na bacia das almas". Elas retratam exatamente o risco da falta de liquidez. Alguém é forçado a conceder descontos exagerados para transformar um bem em dinheiro vivo. É sempre um péssimo negócio para quem vende e uma excelente oportunidade para quem compra. Nada justo...

Dicas

> Crie um "colchão de liquidez". Recomendo que você deixe aplicado em um fundo de renda fixa o correspondente a 6 meses de suas despesas habituais. Por exemplo, se você gasta R$ 3.000 por mês, procure manter cerca de R$ 18.000 em um fundo que permita resgates imediatos. Nunca pense em comprar um imóvel ou em investir em ações se você ainda não atingiu essa meta. A reserva de emergência será fundamental para enfrentar uma eventual perda de

> emprego, uma doença ou um acidente na família. Procure sempre recompô-la após uma eventual utilização. Mantenha a reserva como se fosse algo sagrado e essencial para seu futuro.
>
> ▶ Se você ainda não tem essa reserva, concentre-se nisso. Trabalhe mais, gaste menos, poupe e atinja, o quanto antes, essa meta.

Falta de liquidez é muito ruim, mas excesso de liquidez pode não ser bom.

Verifique seu horizonte de tempo. Se você tem 30 anos e está trabalhando, não há necessidade de manter muito dinheiro nas mãos. Os bens menos líquidos, como ações e imóveis, geralmente oferecem recompensas substanciais para os investidores que abrem mão da liquidez e que adotam uma visão de longo prazo. Se você passar a vida inteira fazendo aplicações em renda fixa com alta liquidez, é quase certo que irá auferir uma baixa remuneração. Provavelmente, a longo prazo, terá acumulado muito menos do que se tivesse investido em imóveis, em ações ou em negócios próprios.

Entretanto, se você tem 55 anos e pensa em se aposentar dentro de 10 anos, mantenha a maior parte de seu patrimônio na renda fixa ou em ativos líquidos.

O excesso de liquidez das bolsas de valores pode ser um problema?

Sim. Veja algumas razões.

▶ É fácil demais vender ou comprar ações. Muitos investidores, na pressa de embolsar os lucros obtidos com a aquisição de uma determinada ação em bolsa de valores, vendem-nas muito cedo.

Perdem em bolsa, justamente porque é muito fácil vender uma ação *blue chip*[3]. Basta um telefonema para a corretora ou um simples comando na Internet, e o negócio está feito. Compare com o investimento em imóveis. Aqui você adquire um bem, pensando em ficar com ele muitos anos. Você dificilmente pede a algum profissional de mercado para fazer avaliações de seu bem, a não ser que esteja decidido a vendê-lo. No mercado de ações, ao contrário, você tem uma avaliação do bem a cada instante, pela TV, pela Internet ou pelo telefone. Essa grande facilidade proporcionada pelo mercado acionário é uma "faca de dois gumes" para alguns investidores iniciantes. Muitos deles acabam negociando suas ações com exagerada freqüência, perdendo as boas recompensas auferidas pelos investidores pacientes e disciplinados.

> Se você só comprar ações muito líquidas, deixará de lado as recompensas oferecidas pelas pérolas ainda não descobertas pelo mercado. Recentemente, publiquei uma pesquisa em uma revista acadêmica americana[4] revelando que, a longo prazo, investir em ações de baixa liquidez tem sido melhor no Brasil do que investir em ações muito negociadas. A partir de uma amostra de 177 ações, comparei o desempenho mensal das mais líquidas (33% mais negociadas) com o desempenho das menos líquidas (33% menos negociadas) mês a mês. O resultado é bastante favorável às ações menos líquidas, conforme exposto na Figura 7.3, com um pequeno incremento no nível de risco.

Comprar *blue chips* é como comprar uma roupa de grife. Você está pagando um prêmio ao vendedor pela "fama" da ação. Ao contrário, se optar por comprar ações de boas empresas, mas pouco líquidas, isto é, desconhecidas da maioria dos investidores, você poderá obter substanciais descontos. A longo prazo, aquelas ações que eram pouco badaladas

---

3. *Blue chip* é uma ação com grande liquidez nas bolsas. Exemplos atuais seriam Telemar PN, Petrobras PN, Globo Cabo PN, Embratel PN.
4. HALFELD, Mauro. *A Fundamental Analysis of Brazilian Stocks.* **Emerging Markets Quarterly**, Winter 2000.

pelo mercado devem lhe oferecer uma recompensa bem maior quando adquirirem alguma "fama".

Figura 7.3   Desempenho de uma carteira de ações de baixa liquidez versus uma carteira de ações de alta liquidez, no Brasil, no período de janeiro de 1992 a junho de 1998

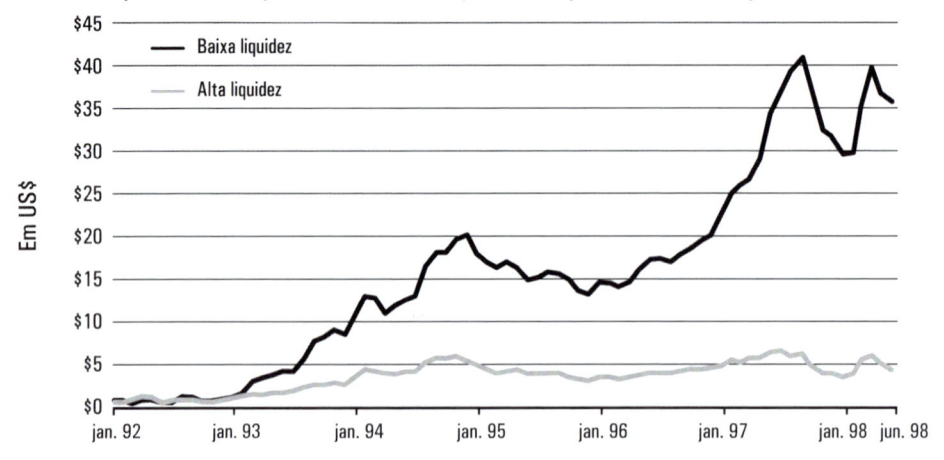

PERIGO

Só compre ações de baixa liquidez se você estiver montando uma carteira muito diversificada e com uma visão de longo prazo. Investir isoladamente em ações de baixa liquidez representa substancial incremento no risco de suas aplicações.

Risco de perda do poder de compra — inflação

Imagine que você tenha investido em um título público, com 10 anos de prazo, com juros fixos de 8% ao ano. Se a inflação sofre um drástico aumento e atinge a casa de 20% ao ano, você estará perdendo seu poder de compra. Os preços das mercadorias, em geral, terão subido muito mais do que o rendimento de seu capital. Esse é o risco oferecido pela inflação nas aplicações de renda fixa. Numa visão de curto prazo, a caderneta de poupança e os fundos de renda fixa oferecem poucas surpresas. Mas, a longo prazo, um galope da inflação ou um plano heterodoxo implementado pelo governo podem gerar perdas nesses investimentos.

A Figura 7.4 indica que o investimento de $ 1 em caderneta de poupança, entre 1968 e 2007, transformou-se em apenas $ 1,35 além da correção pela inflação. Embora seja um investimento de baixo risco a curto prazo, sugere um alto risco a longo prazo: talvez você não consiga acumular o suficiente para atingir uma vida confortável na velhice.

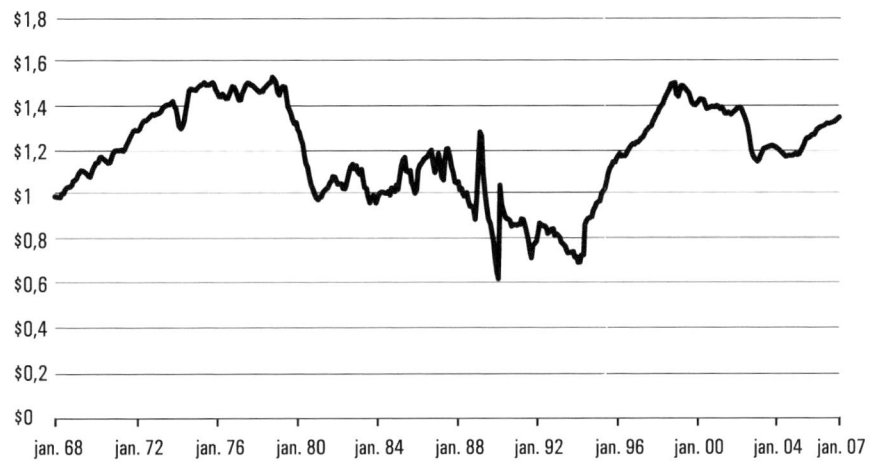

Figura 7.4 $1 investido em caderneta de poupança, deflacionado pelo IGP-DI
Período de janeiro de 1968 a janeiro de 2007

Por outro lado, o investimento em ações, apesar de sua alta instabilidade a curto prazo, revelou-se um grande vencedor a longo prazo. A Figura 7.5 informa que, no mesmo período, $ 1 investido em uma carteira de ações que acompanhasse a composição do Ibovespa teria acumulado cerca de $ 29,63 além da correção pela inflação do período. Alto risco a curto prazo, mas estimulante resultado a longo prazo.

Figura 7.5 $1 investido em carteira de ações semelhante ao Ibovespa, deflacionado pelo IGP-DI. Período de janeiro de 1968 a abril de 2007

Fonte: Economática.

Vale a pena investir em dólares?

Lembre-se de que também existe inflação nos EUA. Segundo a Figura 7.6, se você tivesse guardado uma nota de US$ 1,00 em uma gaveta em janeiro de 1968, hoje ela estaria valendo, no Brasil, o equivalente a apenas US$ 0,11. Utilizei a inflação brasileira medida pelo IGP-DI para fazer essa correção. O investimento em dólares pode até dar alguns resultados positivos em momentos de grande instabilidade no Brasil, mas, a longo prazo, é severamente corroído pela inflação.

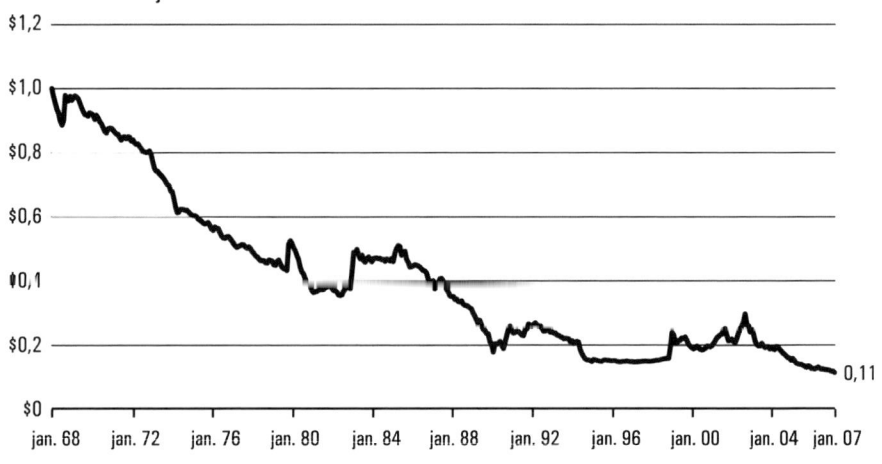

Figura 7.6 $1 investido em dólar oficial (PTAX) deflacionado pelo IGP-DI. Período de janeiro de 1968 a maio de 2007

Investimentos

O OURO CONSEGUE VENCER A INFLAÇÃO?

A Figura 5.1, no Capítulo 5, revelou-nos que o ouro não conseguiu manter o poder de compra ao longo de quase dois séculos. Na Figura 7.7, observe que o ouro, no Brasil, entre 1986 e 2007, sofreu uma grande perda diante da inflação. $ 1,00 investido em ouro passou a valer apenas $ 0,41 no fim do período. O ouro é interessante como reserva de valor em momentos de crise, sendo uma alternativa aos investimentos em renda fixa. Teve um péssimo desempenho na década de 90 e está se recuperando bastante desde o ano 2000. Embora represente segurança na crise, o preço do ouro tem grande instabilidade.

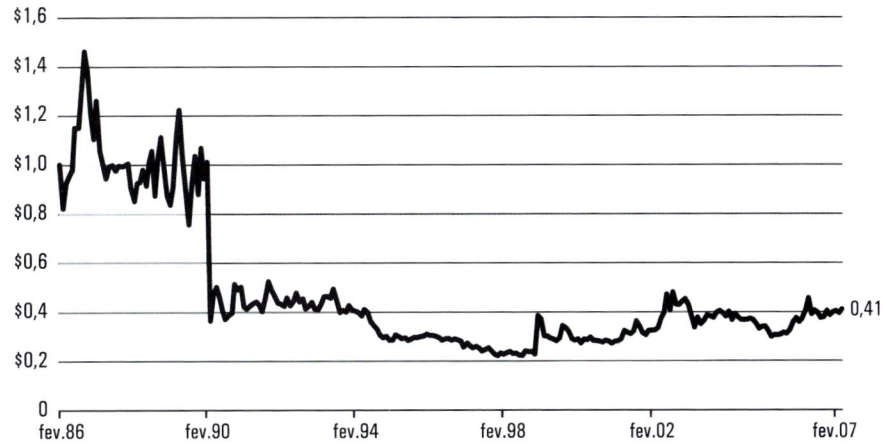

Figura 7.7 $1 investido em ouro deflacionado pelo IGP-DI
Período de fevereiro de 1968 a fevereiro de 2007

O RISCO VARIA COM O TEMPO?

Sim. O risco de perda do poder de compra não tem grande impacto, a curto prazo. Se você está planejando comprar um carro no fim do ano, não precisa se preocupar muito com esse tipo de risco. O alcance dessa meta dependerá mais de sua capacidade de economizar do que do desempenho de suas aplicações de renda fixa diante da inflação[5].

---

5. Estou considerando os atuais níveis de inflação abaixo de 10% ao ano. No tempo da inflação de 30% ao mês, essa preocupação era muito importante.

Mas, para a sua previdência privada, o risco de perda do poder de compra é crucial. Se a rentabilidade de suas aplicações não superar a inflação, você não alcançará uma aposentadoria confortável.

Risco de liquidez tem pouco efeito sobre investimentos de longo prazo. Você terá tempo para sair do investimento se a data de sua aposentadoria ainda estiver distante. Mas ele é relevante nas aplicações de curto prazo.

Risco de mercado costuma ser muito alto para investimentos em ações a curto prazo. A longo prazo, ele tem se revelado bem mais suave.

A Figura 7.8 faz uma comparação entre o risco do investimento em ações e em renda fixa, a curto e a longo prazo.

Figura 7.8 Risco e retorno no curto e no longo prazo

	Prazo	
	Curto	Longo
Risco	Volatilidade	Perda do Poder de Compra	Risco
ALTO	AÇÕES	RENDA FIXA	ALTO
BAIXO	RENDA FIXA	AÇÕES	BAIXO
Objetivo	Preservação do Capital	Aumento do Capital	Objetivo

QUAL A RELAÇÃO ENTRE RISCO E RETORNO DOS INVESTIMENTOS?

Essa relação costuma ser direta. Quanto maior o retorno, isto é, a recompensa oferecida pela aplicação, maior seu risco. A Figura 7.9 ilustra essa relação.

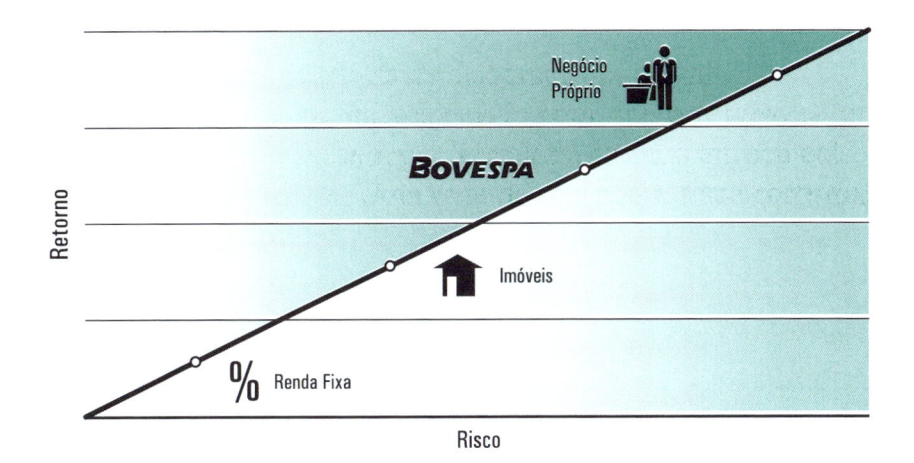

Figura 7.9   Relação entre risco e retorno a curto prazo

COMO DEVO FAZER PARA ENFRENTAR ESSES RISCOS?

Existe, entre outras, uma fórmula muito simples para você fazer o que denominamos alocação de ativos e enfrentar diferentes riscos. Chama-se Regra 100[6].

Tome o número 100 e subtraia sua idade. Esse é o percentual a ser aplicado em renda variável (ações, imóveis, negócios próprios, por exemplo). Veja alguns exemplos.

Se você tem 35 anos, deve alocar em renda variável e em ativos pouco líquidos 100-35 = 65% de seu patrimônio. Os restantes 35% devem ser distribuídos entre fundos de renda fixa e outros ativos bastante líquidos como, por exemplo, ouro[7].

Se você tem 65 anos, mantenha 100-65 = 35% em ativos de renda variável pouco líquidos, mas que gerem um bom aluguel ou um bom dividendo. Os restantes 65% devem ser aplicados em fundos de renda fixa, ouro e outros ativos muito líquidos. A Figura 7.10 ilustra esses exemplos.

---

6. TYSON, Eric. *Investing for Dummies*. IDG Books, 1997.
7. Ouro pode ser adquirido através de corretoras na Bolsa de Mercadorias e Futuros (BMF). Vários bancos de varejo oferecem essa possibilidade. Você pode deixar o metal custodiado na própria bolsa, recebendo apenas um certificado. Isso é mais prático e seguro. Ele deve ser usado apenas como uma reserva de valor. A Figura 5.1 mostrou que o ouro teve um desempenho ruim, ao longo do século, mas tem se recuperado nos últimos 3 anos.

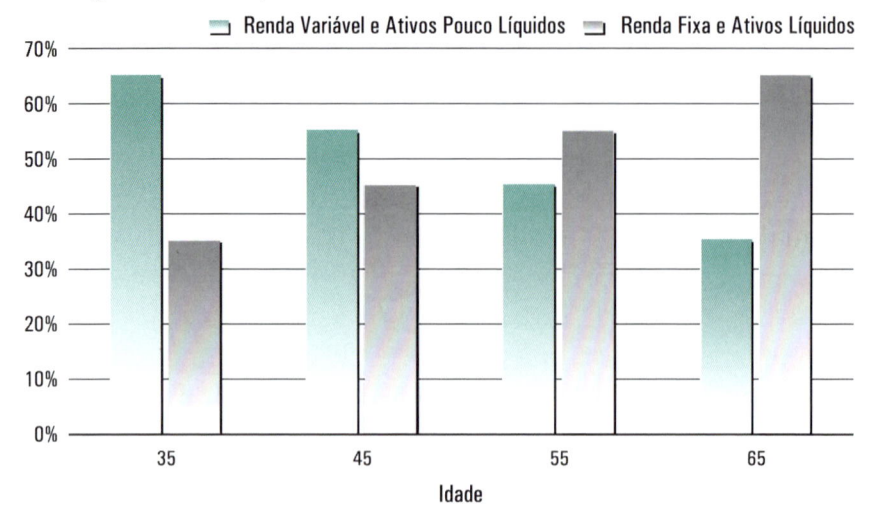

Figura 7.10 Regra 100 de alocação de ativos

A Regra 100 tem dois fundamentos lógicos:

> Pessoas idosas necessitam de recursos financeiros disponíveis para custear sua aposentadoria e eventuais problemas de saúde. Elas não podem manter grandes proporções de seus ativos correndo riscos no mercado de ações, ou no mercado de imóveis, ou presos em negócio próprio.

> Pessoas jovens não precisam nem devem manter muito dinheiro em aplicações líquidas. Aqui vale aquele conceito popular de que "dinheiro na mão é vendaval". Elas podem começar a consumir demais, dificultando a formação de patrimônio de longo prazo. Mas, também, os jovens têm bastante tempo para enfrentar uma eventual queda nas bolsas de valores ou um período de crise no mercado de imóveis ou de pequenas empresas. A maior crise econômica do período contemporâneo deu-se em 1929 e foram necessários 15 anos para sua recuperação. Esse tempo não é tão grande para um jovem de 35 anos que deseja parar de trabalhar aos 65. Seu horizonte seria de 65-35 = 30 anos. Uma pessoa que tivesse essa idade em 1929 e que mantivesse suas aplicações em

bolsa durante 30 anos teria obtido uma ótima remuneração nos 15 anos que se seguiram ao fim da crise.

Há fortes indicações de que a revolução dos meios de comunicação vai tornar as crises mais freqüentes, porém mais curtas. Uma notícia ruim é absorvida rápida e intensamente pelos mercados financeiros. Mas qualquer sinal de recuperação é também respondido com grande agilidade em nosso mundo *on-line*.

Interpreto esse fenômeno como um motivo a mais para aceitar a Regra 100 e para indicar aos jovens que detenham uma proporção maior de ativos em renda variável. Carteiras de ações bem diversificadas e com perfil de longo prazo devem ser adquiridas pelos jovens. Imóveis podem ser adquiridos ao longo da vida. Negócios próprios são muito bem-vindos para os jovens, contanto que eles mantenham um bom "colchão de liquidez" como reserva para enfrentar seus elevados riscos.

Dicas

Entre no mercado de ações dentro da mesma perspectiva temporal com que você entra no mercado de imóveis. Tenha uma visão de longo prazo e não fique chamando os corretores para avaliar o bem a todo instante. Ou seja, não fique olhando a Internet ou os jornais todos os dias para saber quanto vale sua carteira de ações. Não se incomode com a grande volatilidade de curto prazo das bolsas. Você está nela, mas visando ao longo prazo.

Perigo

Ter liquidez em parte de seu patrimônio é muito importante para enfrentar o inesperado. Mas não exagere. Não perca as grandes recompensas oferecidas pelos investimentos com baixa liquidez. Ações, imóveis e negócios próprios costumam oferecer grandes rendimentos a longo prazo.

Fique atento à sua idade:

- Jovens devem buscar elevada rentabilidade em seus investimentos. Para isso, podem e devem arriscar mais. Na pior das hipóteses, terão tempo para recuperar-se de eventuais perdas nos preços de mercado.
- Pessoas maduras não podem correr muitos riscos e devem procurar alocar a maior parte de seu patrimônio em bens líquidos, abrindo mão de rentabilidades maiores.

Capítulo 8

Quando você pode se aposentar?

"A sociedade produziu uma revolução na Medicina que aumentou a vida do homem, mas ela não foi capaz de criar uma revolução financeira que a sustentasse com dignidade."
John F. Kennedy

O maior desafio financeiro de nossas vidas não é a compra de um automóvel novo ou da casa própria. O mais difícil de tudo é ter recursos suficientes para nos mantermos com dignidade durante a velhice.

A importância de começar cedo e de assumir riscos calculados

Pequenas quantias poupadas na juventude transformam-se facilmente em centenas de milhares de reais no fim de 30 anos. Você deve colocar a mágica dos juros compostos trabalhando a seu favor o quanto antes.

Caso

Suponha que Carla, 22 anos, receba R$ 2,5 mil mensais. No fim do primeiro ano, consegue poupar R$ 2 mil e aplica em ações que lhe proporcionaram um rendimento de 15% ao ano além da inflação. A partir daí, ela nunca mais poupou. Passou a gastar todo o seu salário, mas manteve intocável aquele investimento inicial.

Tenho uma boa notícia para Carla. Aos 65 anos, na moeda de hoje, Carla terá acumulado cerca de R$ 815 mil. Se esperar mais 5 anos, até chegar aos 70 anos, ela terá acumulado R$ 1,6 milhão.

Se, aos 65 anos, Carla, visando a maior segurança, preferisse remanejar seus recursos para um fundo de renda fixa que lhe pagasse 6% ao ano além da inflação, ela teria uma renda de cerca de R$ 4 mil mensais, sem mexer no seu principal. Se ela adiasse sua aposentadoria para os 70 anos, sua renda mensal, na caderneta de poupança, seria de R$ 8 mil, mantendo seu R$ 1,6 milhão intacto.

Quais foram os "segredos" de Carla?

- Colocou a mágica dos juros compostos a funcionar a seu favor logo cedo.
- Assumiu riscos e obteve uma taxa de retorno de 15% ao ano, superior aos 4% ao ano que a caderneta de poupança vem oferecendo nos últimos anos.

A combinação desses dois "segredos" proporcionou-lhe uma aposentadoria tranqüila.

Vamos discutir, com detalhes, essas duas variáveis-chave, definidoras de sua aposentadoria: **taxa de retorno** e **tempo**[1]:

a) **Taxa de Retorno**
Investimento único de R$ 2 mil, aos 22 anos:

Idade	Taxa de Retorno		
	15%	8%	5%
65	R$ 815 mil	R$ 55 mil	R$ 16 mil
70	R$ 1.640 mil	R$ 80 mil	R$ 21 mil

Veja a grande diferença no montante final, obtido com a taxa de retorno de 15% ao ano, comparado com o obtido com a taxa de 5% ao ano.

MAS ONDE VOU CONSEGUIR UMA TAXA DE 15% AO ANO?

O Ibovespa ofereceu uma taxa média de 8,8% ao ano acima da inflação, medida pelo IGP-DI, entre 1968 e maio de 2007.

Para Carla conseguir obter um rendimento de 15% ao ano, ela deverá ganhar do Ibovespa continuamente. Para isso, deverá selecionar melhor suas ações ou os gestores de seus fundos. Sem dúvida, é uma meta muito difícil, mas não impossível.

Imagine que você não tenha sido tão feliz quanto Carla na administração de seus investimentos, tendo obtido, em média, 8% ao ano. Ainda que você tenha poupado os mesmos R$ 2.000,00 não apenas uma vez, mas todos os anos de sua vida, você ainda teria menos que Carla: R$ 714 mil para você e R$ 815 mil para ela, aos 65 anos.

---

1. LEE; McKenzie. *Getting Rich in America*. Harper Perennial, 1999.

Investimento de R$ 2 mil, todo ano, desde os 22 anos:

Idade	Taxa de Retorno		
	15%	8%	5%
65	R$ 6,2 milhões	R$ 714 mil	R$ 302 mil
70	R$ 12,5 milhões	R$ 1,06 milhão	R$ 397 mil

> **DICAS**
>
> Não basta poupar, é preciso saber investir. Busque sempre aumentar a taxa de retorno de seus investimentos, levando em conta os riscos assumidos. Um incremento de apenas 1% em sua taxa de retorno anual significa muito dinheiro no final de sua vida.

Mas cuidado: taxas de retorno mais altas podem implicar riscos mais elevados. Se você é jovem, um insucesso em um investimento pode ser facilmente recuperado com o tempo. Se você já está acima dos 50 anos, reduza seu apetite para o risco e pense em poupar quantias maiores para compensar seu atraso.

b) **Tempo**

Irene, 40 anos, é uma psicóloga que ainda não se preocupou com a aposentadoria. Ela tem um rendimento médio de R$ 3 mil mensais. Considerando que ela seja capaz de poupar 10% de sua renda a partir de agora, observe seus possíveis resultados:

Idade	Taxa de Retorno		
	15%	8%	5%
65	R$ 638 mil	R$ 219 mil	R$ 143 mil
70	R$ 1.304 mil	R$ 340 mil	R$ 199 mil

Se Irene souber administrar bem seus investimentos e obtiver um retorno médio de 15% ao ano, poderá recuperar-se e atingir um nível confortável em sua aposentadoria.

Dalva, 50 anos, é uma publicitária que teve negócios próprios e perdeu tudo em função de problemas com seus sócios. Decidiu começar de novo, sozinha. Ela pode juntar R$ 330,00, por mês.

Idade	Taxa de Retorno		
	15%	8%	5%
65	R$ 143 mil	R$ 81 mil	R$ 65 mil
70	R$ 307 mil	R$ 137 mil	R$ 99 mil

Perceba que Dalva não terá uma velhice confortável. Ela não conta mais com o tempo a seu favor. Sua única alternativa é aumentar o valor destinado aos investimentos a cada mês. Para isso, ela tem de reduzir os gastos e aumentar sua renda imediatamente.

"Se eu soubesse que iria viver tantos anos, teria cuidado mais de mim."
Eubie Blake

> **DICAS**
>
> - Um bom investidor, que obtém taxas de retorno elevadas, pode se dar ao luxo de poupar menos.
> - Poupar desde cedo visando à aposentadoria faz uma enorme diferença.
> - Começar tarde pode não ser o fim do mundo, desde que você saiba economizar e poupar mais ou que seja um investidor mais competente, obtendo taxas de retorno mais altas.

PAGUE-SE PRIMEIRO.
POUPE, PELO MENOS, 10% DE SEUS RENDIMENTOS

Se você tem um salário mensal, procure poupar um valor fixo a cada mês no dia de seu pagamento. As pessoas que poupam apenas o que "sobra no fim do mês" correm o risco de gastar demais. Pague primeiro a você, a seu conforto na velhice, antes de pagar tudo o mais. Destine ao menos 10% de seus ganhos a investimentos com objetivos de longo prazo. Somente depois comece a pagar suas prestações habituais[2].

Observe que o Imposto de Renda é bastante inteligente. Imagine as dificuldades que a Receita Federal teria se deixasse para cobrar-nos o Imposto de Renda apenas uma vez no ano. Muitos de nós ficaríamos inadimplentes. Pensando nisso, ela criou a retenção do imposto na fonte. Assim, quando recebemos nosso salário, ele já vem descontado do Imposto de Renda. Adaptamo-nos a isso, limitando nossos gastos aos nossos vencimentos líquidos. Muitas vezes, quando recebemos a

---

2. Este conselho só é válido para as pessoas sem dívidas.

devolução do Imposto de Renda no ano seguinte, chegamos a ficar felizes com a Receita Federal.

Use a mesma estratégia aplicada pelo Imposto de Renda. Estabeleça um percentual de sua renda mensal e deposite esse valor em um investimento de longo prazo no mesmo dia de seu pagamento. Crie esse saudável hábito imediatamente. Uma boa idéia é pedir ao gerente de seu banco que programe antecipadamente esses investimentos.

Previdência privada

Já foi o tempo em que você podia contar com a previdência pública para custear sua aposentadoria. As dificuldades enfrentadas pelo INSS levaram a uma redução do teto da aposentadoria pública. Hoje, esse limite é de dez salários mínimos no momento da aposentadoria.

Assim como o plano de saúde privado passou a ser um item obrigatório no orçamento das famílias de classe média, creio que a previdência privada será uma questão cada vez mais presente em nossas vidas.

Quanto aos benefícios, quais são os tipos de planos de previdência?

- **Benefício definido:** o valor que você vai receber, no futuro, é definido agora, independentemente do resultado obtido pelo administrador de sua previdência. Representa menos riscos para o contribuinte e mais riscos para o administrador. A tendência é a extinção desse tipo de plano.

- **Contribuição definida:** o que você paga hoje está definido; o que você receberá não está combinado. Tudo depende da competência do administrador em gerenciar bem sua poupança. A tendência é que esse tipo de plano se torne o mais comum. Por isso, a escolha do administrador de sua previdência é uma decisão muito importante.

Quais os tipos de previdência privada?

a) **Previdência fechada:** uma empresa patrocina um plano de previdência para seus funcionários, dividindo com eles as contribuições mensais. Em geral, é uma oportunidade para o associado, que pode usufruir de uma remuneração extra, paga pelo seu empregador.
b) **Previdência aberta**

b.1) **Plano de Garantia Mínima** — o administrador promete uma rentabilidade mínima equivalente à inflação, mais uma taxa de juros. Alguns garantem 6% ao ano, além da correção pela inflação, medida pelo IGP-M. Essa é uma boa remuneração no longo prazo. Tendem a desaparecer do mercado, sendo substituídos pelo VGBL.
b.2) **Plano Gerador de Benefícios Livres (PGBL)** — criado no fim de 1997, funciona de forma parecida com um fundo de investimentos.

- **PGBL soberano:** aplica 100% em títulos públicos.
- **PGBL renda fixa:** aplica 100% em títulos de renda fixa, públicos ou privados. O retorno deve ser um pouco maior, mas o risco aumenta um pouco.
- **PGBL composto:** aplica até 49% em renda variável. Os ganhos devem ser bem maiores, mas o risco também. A longo prazo, parece-me a melhor alternativa.

Você pode contribuir com quanto e quando quiser em PGBL. Nesse aspecto, ele funciona como um fundo de investimentos. Eles são portáteis, isto é, você pode transferir sua poupança para outra instituição administrar.

Taxas: há duas. Uma é cobrada sobre cada contribuição que você faz (taxa de carregamento). Outra é cobrada sobre o saldo do investimento (taxa de administração). Pesquise bastante e evite pagar taxas altas. Lembre-se de que 1% ao ano faz uma enorme diferença a longo prazo.

Vantagem fiscal: o PGBL permite abater suas contribuições no Imposto de Renda (até 12% de sua base tributária). Com isso você terá rendimentos sobre um valor que seria pago como imposto ao governo. Na hora de resgatar, você devolve o valor do imposto corrigido. Mas, se seu administrador for competente, os rendimentos serão superiores e você sairá ganhando.

Deduzir suas contribuições no Imposto de Renda só funciona se você faz a declaração no formulário completo. Quando optar pela declaração simplificada, não há vantagem tributária. Nesse caso, o VGBL (explicado a seguir) seria o mais indicado.

Existe outra vantagem interessante: suas aplicações em PGBL ficam isentas do Imposto de Renda sobre os rendimentos. Em um fundo de renda fixa comum, você estaria pagando Imposto de Renda semestralmente. Para investidores de longo prazo, o adiamento desse imposto traz grandes vantagens ao PGBL.

Um alerta: sacar recursos do PGBL em pouco tempo pode gerar um grande prejuízo. Além de haver incidência de Imposto de Renda sobre os rendimentos, há imposto sobre o capital que você depositou. Quem saca rápido pode acabar retirando menos do que o capital investido. Em resumo: o PGBL é um produto indicado apenas para investidores de longo prazo e que declaram imposto de renda pelo modelo completo.

b.3) **VGBL (Vida Gerador de Benefícios Livres)**. Indicado para as pessoas que não declaram Imposto de Renda ou que preferem o modelo simplificado. Na hora do saque, não há incidência de imposto sobre o capital, somente sobre os rendimentos. O VGBL tem se popularizado rapidamente porque funciona de forma semelhante a um fundo de investimentos. Além disso, a ausência de "come-cotas" torna-o um interessante veículo para os investidores de longo prazo.

Vale a pena fazer um plano de previdência privada?

A intensa campanha publicitária em torno da previdência privada é muito saudável, no sentido de despertar a população para a importância de poupar e de investir visando a longo prazo.

Em princípio, sou bastante favorável a esse tipo de investimento. Ele cria uma disciplina que deve ser recompensada. Mas é importante que o consumidor escolha bem os administradores de sua previdência. Procure instituições sólidas, evite pagar taxas de administração elevadas e diversifique, isto é, não concentre seus investimentos em apenas um administrador.

Capítulo 9

A mágica dos cálculos financeiros

"Os juros compostos são a mais poderosa invenção humana."
Albert Einstein

Vou tentar expor a você ferramentas básicas de Matemática Financeira. Fique calmo, não é difícil. Elas serão muito úteis. Com esse instrumento nas mãos, você poderá descobrir qual a taxa de juros embutida no financiamento de um automóvel, por exemplo. Ao mesmo tempo, você poderá compreender melhor como funcionam os investimentos em renda fixa. Não perca essa chance!

Por que existem juros?

Os livros de Economia ensinam que há três fatores essenciais para a produção: o trabalho, a terra e o capital.

A remuneração exigida por aquele que fornece o trabalho é o salário. Quem tem terra ou prédios exige um aluguel para emprestar ao produtor. E, finalmente, o emprestador do capital cobra juros ao produtor. Ao término desse processo, o produtor vende suas mercadorias e paga aos que o ajudaram, emprestando-lhe o trabalho, o capital e a terra, conforme a Figura 9.1.

Figura 9.1 Remuneração dos fatores de produção

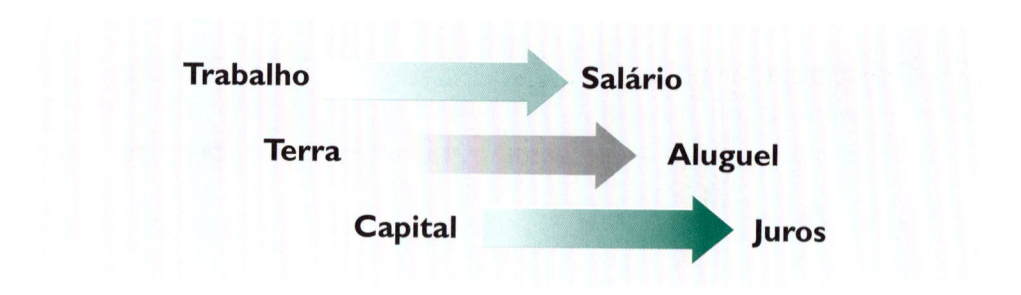

```
Trabalho  ──►  Salário
Terra     ──►  Aluguel
Capital   ──►  Juros
```

Se você acha justo que um trabalhador exija um salário ao emprestar sua capacidade produtiva e se concorda que um proprietário cobre um aluguel do seu inquilino, é natural que também aceite que juros sejam pagos aos emprestadores de capital. Os juros são a remuneração pelo capital, sujeitos às mesmas leis de oferta e de procura a que se submetem o trabalho e a terra.

O QUE VOCÊ PREFERE: RECEBER R$ 100 HOJE OU R$ 100 DAQUI A UM ANO?

Provavelmente, sua intuição fez com que você preferisse os R$ 100 hoje, não foi? Você sabe que com os R$ 100 hoje poderia gastá-los e atender alguns de seus desejos mais imediatos. Alternativamente, poderia emprestá-los a sua vizinha Adriana, cobrando-lhe juros de, digamos 15%, fazendo esses R$ 100 crescerem R$ 15 ao longo do ano. No fim do período, teria R$ 115.

Por isso, você não tem dúvidas de que receber R$ 100, hoje, é melhor do que receber R$ 100 em um ano. Em outras palavras, **o dinheiro tem valor no tempo**.

Esse é o conceito mais importante de Matemática Financeira. Ele ensina que R$ 100 hoje são mais valiosos do que R$ 100 daqui a 1 ano, que, por sua vez, são mais valiosos que R$ 100 daqui a 2 anos.

Como eu calculo juros?

Existe uma fórmula simples. Vejamos:

Juros = capital x taxa de juros x número de meses ou anos

$$J = c \times i \times n$$

O que são juros sobre juros?

São os famosos juros compostos. Por exemplo, imagine que Renata tenha aplicado R$ 1.000 durante 3 anos à taxa de 10% ao ano, com juros compostos.

No fim do primeiro ano, o Juro (J) gerado é de C x i x 1.
Isso dá **1000 x 10% x 1 = 100**

Nesse momento, o juro de R$ 100 incorpora-se ao capital inicial, transformando-o em R$ 1.100, conforme a Figura 9.2. É o que chamamos de capitalização dos juros.

Figura 9.2 Capitalização dos juros no primeiro ano

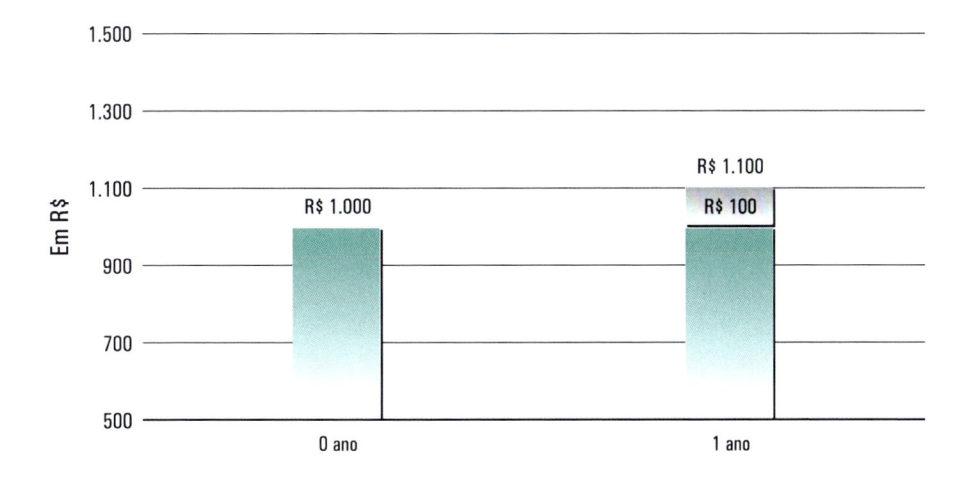

No fim do segundo ano, teremos a mesma taxa de juros de 10%, incidindo sobre R$ 1.100.

$$C \times i \times 1$$
$$R\$\ 1.100 \times 10\% \times 1 = R\$\ 110$$

Perceba que a mesma taxa de juros de 10%, uma vez aplicada sobre o capital inicial acrescido dos juros do primeiro ano, produzirá não apenas R$ 100 como o obtido no fim do primeiro ano, mas R$ 110. Os rendimentos começam a vivenciar um incremento substancial.

Os juros recebidos no fim do segundo ano são capitalizados, isto é, são incorporados ao capital. Temos agora R$ 1.100 mais R$ 110, totalizando R$ 1.210, conforme a Figura 9.3.

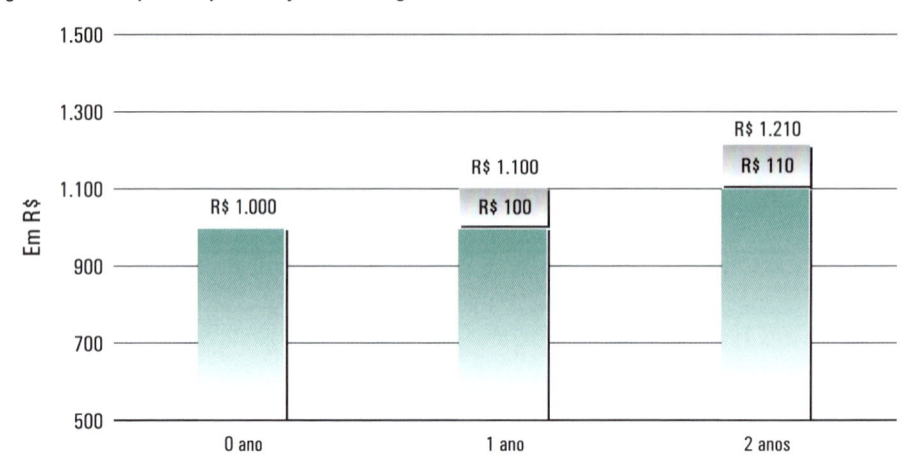

Figura 9.3 Capitalização dos juros no segundo ano

Durante o terceiro ano, o juro gerado será:

$$C \times i \times 1$$
$$1.210 \times 10\% \times 1 = 121$$

Esses juros serão capitalizados, formando o montante de:

R$ 1.210 + R$ 121 = R$ 1.331

Figura 9.4   Capitalização dos juros no terceiro ano

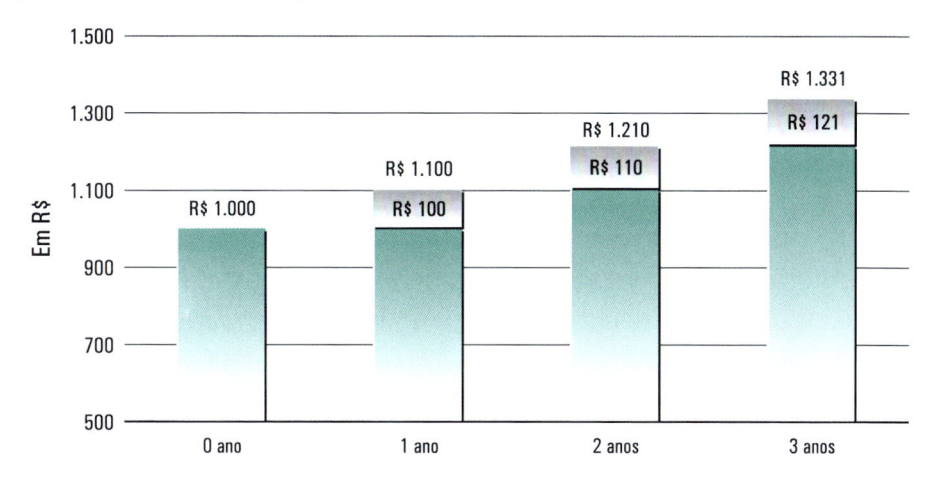

Assim, vimos que os juros gerados no período valem:

J = 100 + 110 + 121 = 331

E o Montante ou Valor Futuro (VF) vale:

M = 1.000 + 331 = 1.331

Figura 9.5   Juros ao longo do período

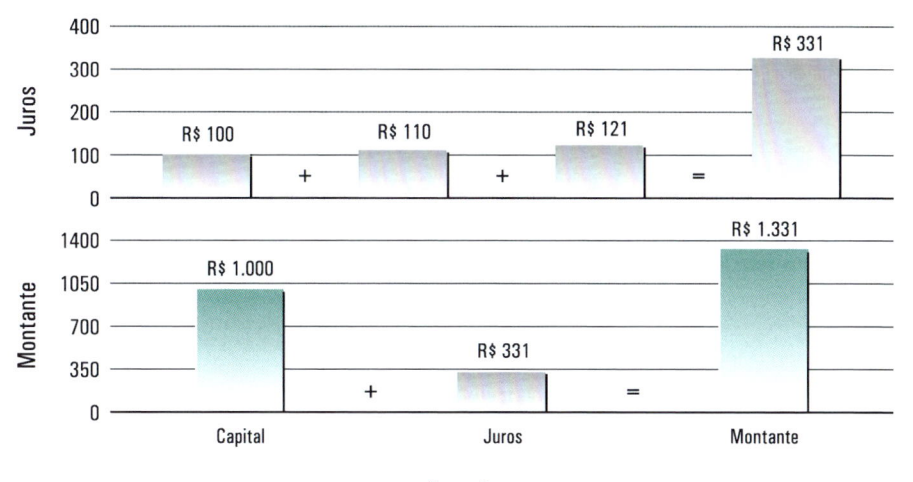

Existe uma fórmula consagrada para a capitalização dos juros.

$$VF = VP(1+i)^n$$

VF = Valor Futuro ou Montante, também denominado FV *(future value)*
VP = Valor Presente ou Capital Inicial, também denominado PV *(present value)*
i = Taxa de juros; a letra i vem *de interest rate*, a versão original, em inglês
n = Número de períodos

Caso

A ilha de Manhattan, na cidade de Nova York, foi comprada dos índios nativos americanos por Peter Minuit em 1624, por US$ 24.
Que barganha, hein?
Nada disso! Esses mesmos US$ 24, se aplicados a juros compostos anualmente, à taxa de 8%, valeriam, no final de 2000, 376 anos depois, US$ 88 trilhões, dinheiro suficiente para comprar toda a ilha de volta, com todas as melhorias realizadas!

Qual o segredo dos juros compostos?

Ele é bastante simples. As fortunas geradas através da capitalização dos juros dependem de apenas dois fatores: **Tempo** e **Taxa de Juros**.

Fator-Chave — TEMPO

O primeiro fator é o número de períodos (n). Alterações nesse tempo levam a resultados muito diferentes.

CASO

Márcia e Patrícia, 25 anos, são irmãs gêmeas que trabalham em uma mesma empresa. Estão pensando em investir, visando aposentar-se daqui a 35 anos. Márcia decidiu poupar agora R$ 2.000,00 por ano durante 10 anos. Patrícia preferiu adiar o início da poupança, começando-a só daqui a 10 anos, quando estiver com 35 anos. Elas conseguem obter uma taxa anual de 8%. Veja os resultados:

Márcia:
Período em que poupará = de 25 a 35 anos de idade
Tempo total em que irá contribuir = 10 anos
Total poupado = R$ 20.000,00
Valor final aos 60 anos = R$ 198.422,00

Patrícia:
Período em que poupará = de 35 a 60 anos de idade
Tempo total em que irá contribuir = 25 anos
Total poupado = R$ 50.000,00
Valor final aos 60 anos = R$ 146.212,00

Em nosso exemplo, Márcia investirá durante 10 anos quando jovem, parando de contribuir, mas mantendo o investimento sem retirar nada. Aos 60 anos, terá acumulado quase R$ 200 mil.

A MÁGICA DOS CÁLCULOS FINANCEIROS

Patrícia, ao contrário, fará contribuições para sua previdência durante 25 anos, mas começando 10 anos mais tarde. Aos 60 anos, descobrirá ter bem menos que sua irmã, menos de R$ 150 mil. O exemplo é demonstrado na Figura 9.6.

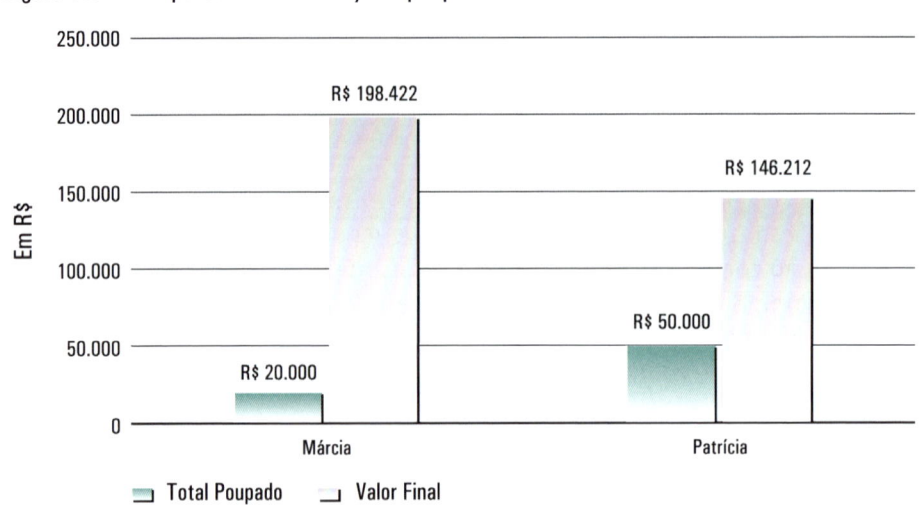

Figura 9.6 A importância de começar a poupar cedo

Dicas

Quanto mais cedo você começar a poupar, menos penoso será o processo.

Fator-Chave — TAXA DE RENDIMENTO

Caso

Voltemos ao exemplo dos índios americanos que venderam a ilha de Manhattan. Se, em vez de aplicarem a 8% ao ano, eles tivessem obtido um rendimento de 10% ao ano, os índios teriam acumulado muito mais. Eles teriam, hoje, $ 87 quatrilhões, isto é, 87 seguidos de 15 zeros. Dinheiro suficiente para comprar o mundo inteiro!

Mas, ao contrário, se eles tivessem obtido apenas 6% de rendimento, iriam obter $ 78 bilhões, apenas um milésimo do que eles teriam na aplicação a 8% ao ano e um milionésimo do que teriam a 10% ao ano.

Albert Einstein, certa vez, disse que os juros compostos são a mais poderosa invenção humana.

Suponha que você invista R$ 1 por dia desde o dia de seu nascimento à taxa de 20% ao ano. Aos 66 anos, você pode ser um bilionário!

Dica

A Taxa de Rendimento é fundamental para definir o valor final de um investimento de longo prazo.

Figura 9.7   R$1,00 por dia, aplicado desde seu nascimento, a diferentes taxas de juros, pode levar você a ser um bilionário

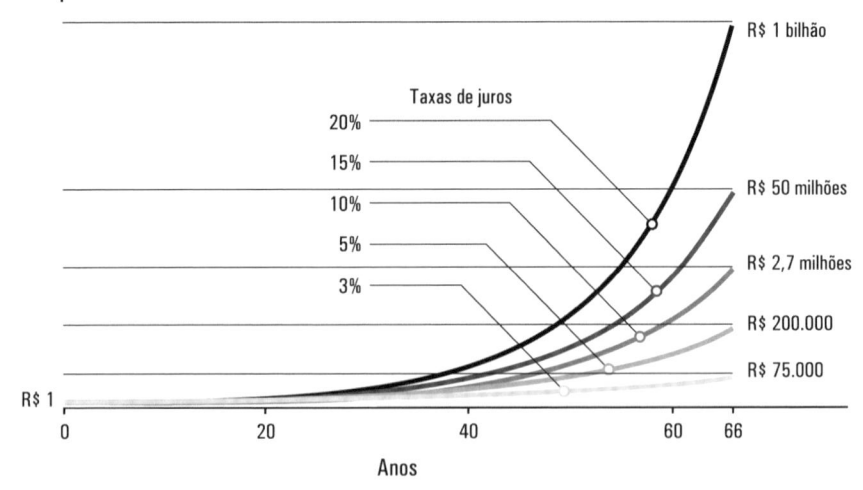

Taxas de juros: 20%, 15%, 10%, 5%, 3%

- 20% → R$ 1 bilhão
- 15% → R$ 50 milhões
- 10% → R$ 2,7 milhões
- 5% → R$ 200.000
- 3% → R$ 75.000

Anos: 0, 20, 40, 60, 66

Capítulo 10

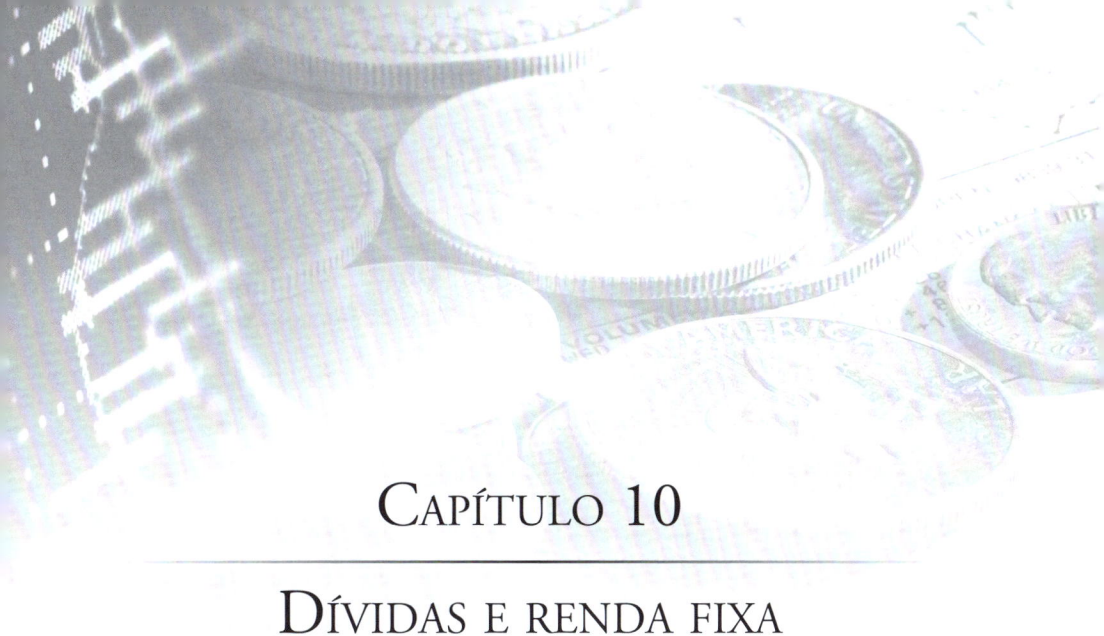

Dívidas e renda fixa

"Quem não faz dívidas não progride."
Conselho Popular

No Brasil, poucas pessoas conseguem poupar sistematicamente. Há abundância de mão-de-obra e escassez de capital. Como conseqüência, o capital é sempre mais bem remunerado do que o trabalho.

Outra importante característica é a grande diferença entre o que um poupador obtém em suas aplicações de renda fixa e o que ele tem de pagar a uma financeira se desejar fazer um empréstimo. Isso costuma ser justificado pelos elevados riscos de inadimplência e de fraudes enfrentados pelas financeiras e administradoras de cartões de crédito e pelos elevados impostos aplicados sobre o setor financeiro. Além disso, a morosidade dos processos judiciais também dificulta bastante a recuperação do crédito. Na prática, conceder empréstimos, no Brasil, é um grande risco. Tomar emprestado também.

Na década de 70, o Sistema Financeiro da Habitação ofereceu empréstimos de longo prazo, em que as prestações acompanhavam os salários. No fim do prazo contratual, o saldo devedor era perdoado e o contrato, quitado. Um excelente negócio para o devedor e péssimo para o emprestador. Um subsídio gigantesco que todos nós, contribuintes, estamos pagando até hoje. Naturalmente, como não existem milagres em finanças públicas, a festa foi para poucos e acabou logo.

Tome muito cuidado com dívidas de longo prazo. Taxas de juros de 1% ao ano já alteram substancialmente o valor final da dívida. A Figura 10.1 indica o valor acumulado por R$ 100.000 no fim de 20 anos, diante de diferentes taxas de juros.

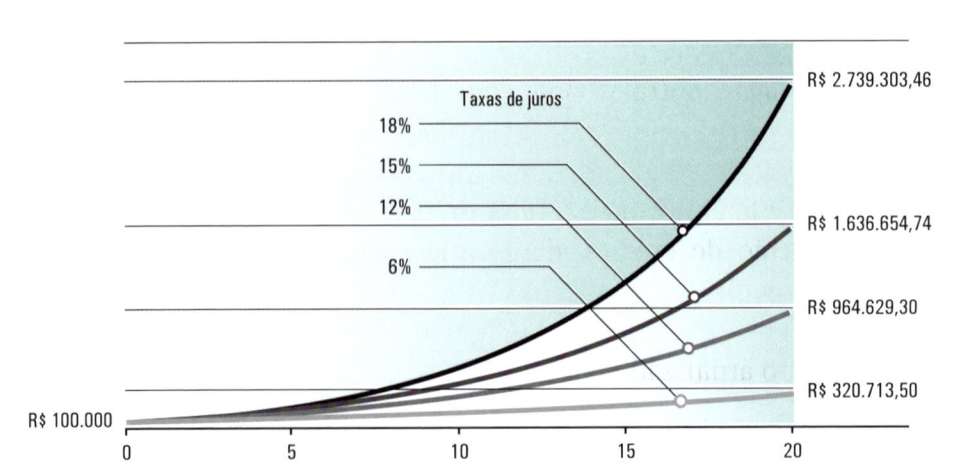

Figura 10.1 O impacto das taxas de juros a longo prazo

[Gráfico: Taxas de juros 18%, 15%, 12%, 6%; valores finais R$ 2.739.303,46; R$ 1.636.654,74; R$ 964.629,30; R$ 320.713,50; valor inicial R$ 100.000]

Ainda muito pior é a experiência daqueles que vivem utilizando o cheque especial ou rolando suas dívidas no cartão de crédito. Em outubro de 2003, a taxa do cheque especial chegava a 110% ao ano!

"Quem não faz dívidas não progride"

Considerando as taxas de juros do crédito ao consumidor praticadas atualmente no Brasil, tenho de discordar totalmente dessa afirmativa. No fim da década de 50, isso até podia ser verdade. Naquela época, a inflação começou a surgir e não havia correção monetária. Isso foi muito bom para aqueles que fizeram dívidas de longo prazo com juros fixos. Esse tempo já passou. Hoje, é muito difícil alguém exercer uma atividade produtiva que lhe proporcione um rendimento superior às taxas de juros cobradas no mercado.

Quando é interessante tomar crédito?

- Para comprar uma mercadoria necessária cujo preço irá sofrer um substancial aumento nos próximos dias.
- Para investir em um negócio cuja rentabilidade seja bem maior que os juros a serem pagos.
- Para pagar outra dívida com taxa de juros superior ao novo empréstimo. Por exemplo, se você deve no cheque especial há muitos dias, pense em obter um empréstimo com juros inferiores no próprio banco ou em uma financeira.
- No cartão de crédito, desde que você quite o saldo devedor no vencimento.
- Em uma emergência. Por isso é saudável que você mantenha cadastro atualizado em seu banco.

Perigo

O crédito é um dos melhores instrumentos para o desenvolvimento social de um país. Mas as atuais taxas de juros oferecidas aos consumidores brasileiros têm um efeito contrário, levando milhares de famílias ao desespero.

Qual o risco da renda fixa?

As aplicações mais comuns em renda fixa são: caderneta de poupança, CDB e fundos de renda fixa. Elas geram poucas surpresas aos investidores a curto prazo. Por outro lado, os investimentos em ações, em imóveis e em negócios próprios podem surpreender muito, sendo classificados como renda variável.

Renda Fixa	Renda Variável
Caderneta de poupança	Ações
CDB e RDB	Imóveis
Fundos de renda fixa	Negócios próprios

Talvez você se sinta tranqüilo ao investir em renda fixa.

Perigo

Na minha opinião, o maior risco e o menos perceptível deles é que o rendimento da renda fixa pode não ser o suficiente para fazer com que você atinja seus objetivos de longo prazo. No Brasil, a caderneta de poupança pagou, em média, 4% ao ano acima da inflação medida pelo IPC-Fipe entre janeiro de 1968 e outubro de 2003. No mesmo período, o Ibovespa ofereceu pouco mais de 10% ao ano acima da inflação. Se você leu o Capítulo 9, sabe que essa diferença é enorme para investidores de longo prazo.

Mas por que a caderneta de poupança acabou pagando tão pouco nos últimos 35 anos?

A remuneração dos fundos de renda fixa e da caderneta de poupança depende sempre de políticas macroeconômicas do governo. Ele é o maior devedor do país e tem o poder de criar regras. Em conseqüência disso, infelizmente, assistimos, no passado recente, a diversas mudanças nas normas que regem a dívida pública brasileira. Por exemplo, todas as vezes que se fazia um congelamento de preços, jogava-se para debaixo do tapete parte da inflação do mês anterior. A justificativa era que o plano vinha para ficar e que os poupadores seriam recompensados pela estabilidade de preços a seguir. Em poucos meses, os planos fracassavam, e os poupadores ficavam com o prejuízo.

O último e mais violento prejuízo aos credores da dívida pública aconteceu no Plano Collor, em março de 1990. Ele congelou todas as aplicações em renda fixa por 18 meses, remunerando-as com taxas bem mais baixas do que as praticadas pelo mercado. Isso reduziu substancialmente a dívida pública, mas à custa do sacrifício de milhões de poupadores.

Quando vale a pena aplicar em renda fixa?

- Quando você deseja constituir sua reserva de emergência. Sugiro que mantenha o equivalente a 6 meses de suas despesas usuais aplicado em renda fixa.
- Quando você precisar do dinheiro a curto prazo, isto é, em menos de 5 anos. Se você estiver planejando comprar um carro, fazer uma viagem ao exterior ou comprar seu apartamento em menos de 5 anos, recomendo-lhe fazer aplicações em renda fixa. Os investimentos em renda variável têm sido muito rentáveis, mas apenas em períodos longos. Um investidor nunca deve aplicar em renda variável pensando em menos de 5 anos.
- Quando você já está idoso, não pode correr o risco de uma queda na bolsa ou de uma crise no mercado de imóveis. À medida que

você vai envelhecendo, vá resgatando seus investimentos em renda variável e aplicando-os em renda fixa ou ativos dolarizados.

Em que casos a renda variável é mais indicada do que a renda fixa?

Quando você estiver trabalhando com horizontes de tempo superiores a 5 anos, prefira a renda variável, que, embora mais volátil, pode oferecer resultados muito superiores aos da renda fixa a longo prazo. Não perca a oportunidade de aumentar seus rendimentos aplicando em renda variável. Esse é um dos segredos de uma aposentadoria mais cedo e mais confortável.

Como investir em renda fixa?

❯ Fundo de Renda Fixa — DI

Esse fundo procura oferecer rendimentos semelhantes aos do CDI (Certificado de Depósitos Interfinanceiros), que é uma taxa de referência para empréstimos entre instituições financeiras. Os fundos DI têm rendimentos pós-fixados, isto é, eles acompanham as flutuações das taxas de juros.

O CDI tem oferecido uma rentabilidade excepcional desde o Plano Real. Entre julho de 1994 e maio de 2007, ele acumulou 349% acima da inflação (IPC-Fipe), ao passo que a caderneta de poupança, 51%. A Figura 10.2 ilustra esses desempenhos.

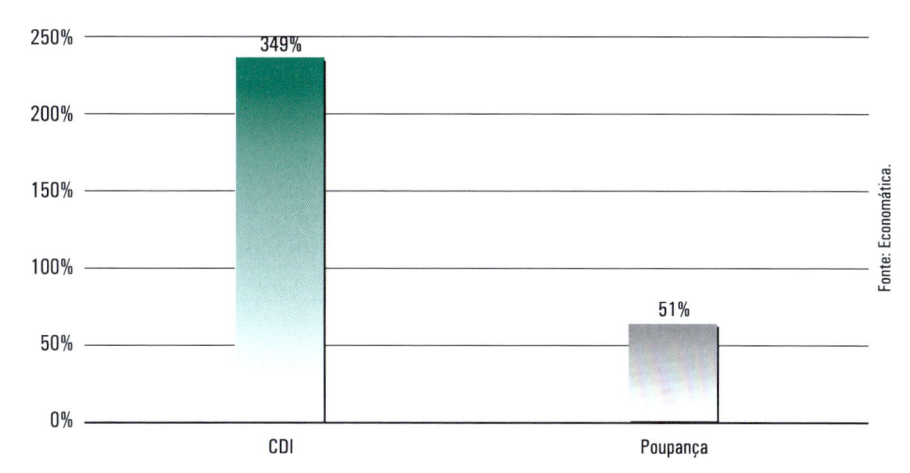

Figura 10.2   Rendimento acima da inflação, após o Plano Real, até maio de 2007

[Gráfico de barras: CDI 349%, Poupança 51%. Fonte: Economática.]

*Ajustado pela inflação IPC-Fipe

Mas não posso acreditar que essas taxas de juros sejam sustentáveis a longo prazo. Haveria uma explosão da dívida pública. Em outras palavras: não conte com esses níveis de juros no futuro.

É VERDADE QUE OS CDI RENDERAM TANTO QUANTO O IBOVESPA, COM MENOS RISCO?

Já li artigos na imprensa sobre isso. Creio haver uma falha nesses trabalhos. Eles se esquecem de que, depois do Plano Collor, em 1990, o CDI ofereceu elevados rendimentos, mas apenas para o "dinheiro novo". Se você foi um dos infelizes que tinham aplicações de renda fixa na véspera do Plano, ficou com seus recursos bloqueados, rendendo taxas muito mais baixas. Em outras palavras, a série histórica do CDI foi prejudicada.

▶ Fundo de Renda Fixa Prefixado

Esse fundo aplica em papéis com taxas de juros previamente definidas. Traz um risco ao investidor se houver um aumento repentino nas taxas de juros praticadas pelo mercado.

Muitos desses fundos surpreenderam seus clientes na Crise da Ásia, em 1997, e na Crise Eleitoral, em 2002, ao oferecer rentabilidade negativa.

❯ Caderneta de Poupança

É o investimento mais tradicional de renda fixa, prometendo pagar juros de 0,5% ao mês mais a variação da TR (Taxa Referencial). Ela é considerada o ativo financeiro de menor risco na economia brasileira.

Resumo

Um fundo de renda fixa prefixado contém um conjunto de títulos prefixados que, do dia para a noite, passam a valer menos se houver um aumento nas taxas de juros nos novos títulos emitidos pelo Tesouro. Se você é cotista de um fundo como esse, você perde.

Mas, quando o Banco Central reduz as taxas de juros, o movimento oposto acontece. Assim, se houver uma tendência de queda nas taxas de juros, os fundos de renda fixa prefixados são mais atraentes.

▷ Tesouro Direto

O Tesouro Nacional (www.tesourodireto.gov.br) oferece aos brasileiros a possibilidade de comprar títulos públicos federais. Há três tipos: LTN (juros prefixados); LFT (juros pós-fixados, rendendo próximo à taxa Selic); e NTN (rendem IGP-M ou IPCA, mais uma parcela fixa de juros). Os prazos variam bastante e podem superar 25 anos. Semanalmente, o Tesouro recompra os títulos, permitindo que os investidores resgatem suas aplicações antes do vencimento. No *site* www.halfeld.com.br, você pode encontrar mais detalhes sobre essa modalidade.

▷ Fundo Multimercados

Trata-se de uma categoria mais sofisticada. Os administradores desses fundos podem operar com instrumentos mais arriscados para incrementar os rendimentos. Em contrapartida, seu risco pode aumentar consideravelmente.

Capítulo 11

Para onde está indo seu dinheiro?

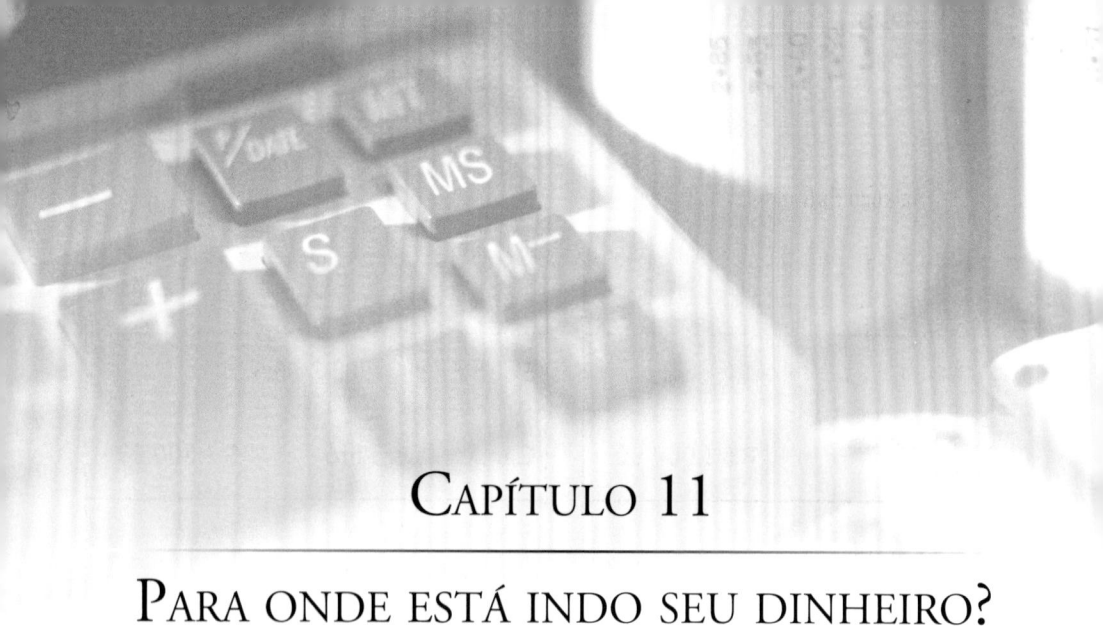

"Eu fui rico e eu fui pobre. Acredite em mim: ser rico é melhor."
Debby Marsh

Você ganhou ou perdeu dinheiro no ano passado? Quanto tem sido a taxa média de crescimento do seu patrimônio nos últimos 5 anos?

Provavelmente, você não tem a menor idéia de como responder a essas perguntas. Mas, ao final deste capítulo, você terá uma importante ferramenta para medir e monitorar a evolução de seu patrimônio.

Lembre-se de que "tudo o que se mede melhora". Se você deseja perder peso, não fuja da balança; se você deseja melhorar sua velocidade em corridas, use um cronômetro; se deseja aumentar sua massa muscular, peça ao treinador na academia de ginástica para preparar uma ficha para você seguir. Em Finanças Pessoais, é a mesma coisa. Comece já a monitorar sua situação patrimonial.

Vamos fazer um Balanço Patrimonial para Paula

Paula, 35 anos, solteira, é jornalista de um grande jornal paulista. Seu Balanço Patrimonial, em 31 de dezembro de 2006, está representado na Figura 11.1.

Figura 11.1 Balanço Patrimonial de Paula

ATIVO (o que você tem)	
ATIVO DE CURTO PRAZO	
Saldo na conta corrente	R$ 1.000,00
Fundo de Renda Fixa DI	R$ 22.000,00
ATIVO DE LONGO PRAZO	
Empréstimo concedido ao irmão	R$ 2.000,00
FGTS	R$ 17.000,00
ATIVO PERMANENTE	
Apartamento na Vila Madalena	R$ 60.000,00
Automóvel ano 99	R$ 11.000,00
TOTAL	**R$ 113.000,00**

PASSIVO EXIGÍVEL (suas dívidas)	
EXIGÍVEL A CURTO PRAZO	
Cartão de crédito	R$ 1.500,00
Saldo devedor em financiamento do automóvel	R$ 6.000,00
Prestações do imóvel a vencer em menos de 1 ano	R$ 5.000,00
EXIGÍVEL A LONGO PRAZO	
Prestações do imóvel a vencer depois de 1 ano	R$ 40.000,00
SUBTOTAL	**R$ 52.500,00**
PATRIMÔNIO LÍQUIDO (sua riqueza)	
Ativo – Passivo Exigível	
R$ 113.000,00 – R$ 52.500,00 = **R$ 60.500,00**	
TOTAL	**R$ 113.000,00**

Ativo R$ 113.000,00	Passivo Exigível R$ 52.500,00 Patrimônio Líquido R$ 60.500,00

O que é Balanço Patrimonial?

É uma fotografia da situação financeira de uma pessoa ou de uma empresa em uma determinada data, por exemplo, 31 de dezembro de 2006. Nesse instante, em nosso exemplo, apuramos o valor de todos os bens e direitos e de todas as obrigações de Paula. O balanço é uma importante referência, ou seja, um *benchmark*. De tempos em tempos, Paula pode apurar seu balanço patrimonial e compará-lo com o de 31 de dezembro de 2006. Nesses momentos, estará observando a evolução de sua situação patrimonial.

O que é Ativo?

É o conjunto formado pelos bens e direitos de Paula. Seu carro, seu apartamento, o dinheiro depositado no banco, o saldo do FGTS, o empréstimo que ela concedeu ao irmão etc. O Ativo é sempre colocado no lado esquerdo do Balanço Patrimonial. Em 31 de dezembro de 2006, o total do Ativo de Paula era de R$ 113.000,00.

Procure usar valores bem próximos da realidade na hora de avaliar seus ativos. No caso de um apartamento, você não sabe exatamente o valor dele, a não ser que o venda. Faça uma estimativa conservadora, não seja otimista nesse momento.

Ativo de Curto Prazo são os bens e direitos que você pode converter em dinheiro vivo em menos de 1 ano. Paula emprestou R$ 2.000,00 ao irmão Marcelo e só tem esperança de receber isso de volta daqui a 3 anos. Esse direito deve, portanto, ser contabilizado no Ativo de Longo Prazo.

Saldo na Conta Corrente e Fundo de Renda Fixa constituem o Ativo de Curto Prazo de Paula.

Ativo Permanente são os bens que ela não pretende converter em dinheiro. Por exemplo: ela gosta de seu apartamento e não tem nenhuma intenção de vendê-lo. O mesmo acontece com o carro.

O que é Passivo Exigível?

São as dívidas de Paula. Assim, o saldo devedor do apartamento, as dívidas no cartão de crédito e na financeira, que emprestou o dinheiro para trocar o carro. Em 31 de dezembro de 2006, ele somava R$ 52.500,00. Esse Passivo é denominado Exigível porque os credores irão exigir o seu pagamento na data combinada. É sempre colocado do lado direito do Balanço Patrimonial.

Aqui também vale a mesma distinção entre curto e longo prazo aplicada no Ativo. Passivo Exigível de Curto Prazo são as obrigações que vencem em menos de 1 ano. Acima desse prazo, classifique como de longo prazo.

O que é patrimônio líquido?

É a riqueza de Paula. Quanto mais ativos e menos dívidas ela tiver, mais rica será. Hoje, sua riqueza é de R$ 60.500,00.

A Figura 11.2 revela que o total do Ativo é exatamente igual à soma do Passivo Exigível com o Patrimônio Líquido. Daí o nome **Balanço Patrimonial**.

Figura 11.2 Equação do Balanço Patrimonial

ATIVO

PASSIVO EXIGÍVEL + PATRIMÔNIO LÍQUIDO

O objetivo de Paula é aumentar bastante o Patrimônio Líquido. Para isso, ela pode incrementar o Ativo ou reduzir o Passivo Exigível.

Dica

Procure apurar seu Balanço Patrimonial uma vez por ano, de preferência quando da entrega da declaração do Imposto de Renda. Nessa data, você terá vários documentos nas mãos, o que vai facilitar muito a tarefa.

Para onde está indo o seu dinheiro?

Outra pergunta difícil, não é? Para responder a ela, nada melhor que montar um pequeno relatório com as Receitas e Despesas, chegando ao Resultado do Período. Vamos chamar esse relatório de Demonstração do Resultado do Mês. Ele será seu melhor aliado no controle dos gastos.

A maioria das pessoas consegue se lembrar de suas maiores despesas, tais como aluguel, prestação do carro, seguro-saúde etc. Entretanto, poucos conseguem perceber aqueles gastos pequenos, mas diários, que se acumulam até o fim do mês. Por exemplo, alimentação fora de casa. Ninguém se importa muito com esse item, mas ele costuma ser enorme caso você more em uma grande cidade. Comece a vigiar esses pequenos vilões. Não deixe seu dinheiro tão suado fugir pelo ralo.

Vamos examinar o que Paula está fazendo com o salário dela a cada mês:

Resultado do Mês (Dezembro de 2006)	
RECEITAS	
Salário líquido	R$ 3.600,00
DESPESAS	
Gastos com alimentação	R$ 900,00
Gastos com academia de ginástica	R$ 130,00
Prestação do apartamento	R$ 416,00
Automóvel (seguro, prestação, gasolina etc.)	R$ 900,00
Lazer	R$ 500,00
Plano de saúde	R$ 130,00
Roupas e acessórios	R$ 250,00
Subtotal	**R$ 3.226,00**
Resultado disponível para investir	**R$ 374,00**

As Receitas devem incluir todos os seus rendimentos. Se você tiver renda de aluguéis ou se receber uma pensão alimentícia, aproveite para incluí-los nesse item.

Figura 11.3 Demonstração do Resultado do Mês

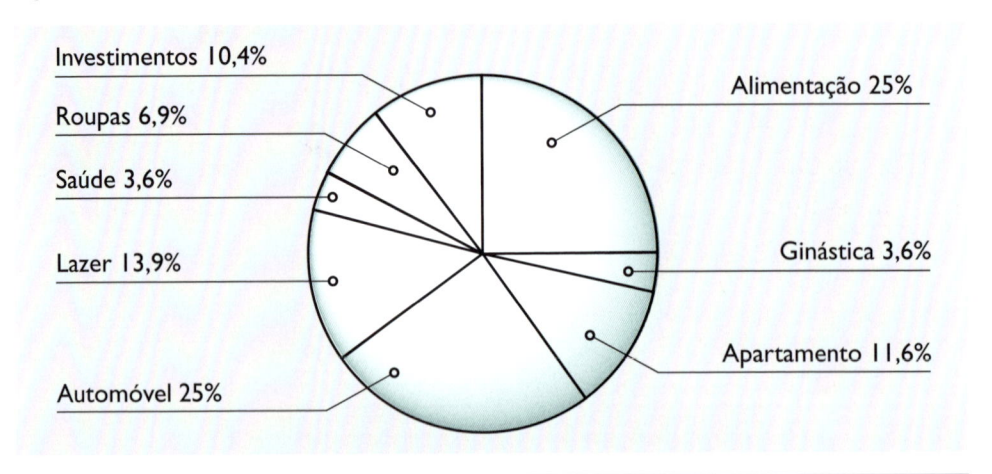

- Investimentos 10,4%
- Roupas 6,9%
- Saúde 3,6%
- Lazer 13,9%
- Automóvel 25%
- Apartamento 11,6%
- Ginástica 3,6%
- Alimentação 25%

Perigo

Procure fazer um Balanço Patrimonial e um Relatório de Resultado do Período de forma bem simplificada. Se você começar a detalhar demais esses instrumentos, começará a se aborrecer com eles. Mantenha a simplicidade e a objetividade.

Dica

O seu primeiro Balanço Patrimonial é o mais difícil. Mas o esforço inicial será muito bem recompensado.

Análise do Balanço Patrimonial

Vamos interpretar os relatórios elaborados para Paula.
Liquidez – é a medida da velocidade com que um ativo pode ser convertido em dinheiro vivo sem perder valor. Dinheiro em seu bolso é o ativo mais líquido que existe. Uma casa de campo na serra costuma ser um ativo com pouca liquidez.

$$\text{a) Índice de Liquidez} = \frac{\text{Ativo de Curto Prazo}}{\text{Passivo de Curto Prazo}}$$

No exemplo de Paula:

$$\text{Índice de Liquidez} = \frac{(1.000 + 22.000)}{(1.500 + 6.000 + 5.000)} = \frac{23.000}{12.500} = 1,84$$

Uma família precisa sempre ter ativos líquidos no seu patrimônio, para pagar despesas habituais, como luz, telefone, condomínio etc.
Se a bateria de seu automóvel estragar, você terá dinheiro disponível para trocá-la? O que acontecerá em sua vida se você pegar hepatite?
Ter liquidez é um fator muito importante em nossas vidas. Evite sempre que o Índice de Liquidez fique abaixo de 1. Isso estaria indicando que suas dívidas de curto prazo superam seus ativos de curto prazo, o que significa que você vai começar a ter dificuldades.

> **PERIGO**
>
> Se você tem R$ 50.000,00 no Ativo de Curto Prazo, mas pretende gastar R$ 30.000,00 para comprar um lote na praia, conte apenas com R$ 20.000,00 no cálculo de sua liquidez.

b) $\text{Índice de Cobertura das Despesas Mensais} = \dfrac{\text{Ativo de Curto Prazo}}{\text{Despesas Mensais}}$

No exemplo de Paula:

$$\text{Índice de Cobertura} = \dfrac{23.000}{3.226} = 7{,}13$$

Se Paula perder o emprego, por quantos meses ela consegue sobreviver com seu Ativo de Curto Prazo? A resposta é: por 7 meses.

Minha sugestão: nunca deixe esse indicador ficar abaixo de 6. Caso contrário, você dependerá de créditos em bancos ou financeiras, pagando taxas elevadas de juros.

Se o país estiver em recessão, com desemprego crescente, procure aumentar esse índice de cobertura. Ele funciona como um colchão para amortecer eventuais crises econômicas.

c) $\text{Índice de Endividamento} = \dfrac{\text{Passivo Exigível}}{\text{Ativo Total}}$

Índice de Endividamento = $\dfrac{52.500}{113.000}$ = 0,46 = 46%

Esse índice indica que 46% do Ativo de Paula foi financiado pelas dívidas relacionadas no Passivo Exigível. O ideal seria ter um índice próximo de zero, principalmente no Brasil, onde as taxas de juros têm sido muito altas.

d) Índice de Poupança = $\dfrac{\text{Resultado disponível para investir}}{\text{Receitas}}$

Índice de Poupança = $\dfrac{374}{3.600}$ = 10,4%

Esse é o percentual da receita mensal que sobra para Paula investir.
Sendo uma pessoa solteira, ela precisa melhorar a capacidade de poupar.
Manter um índice de poupança elevado é fundamental para você atingir sua independência financeira. Se você não conta com um plano de previdência, dedique-se bastante para incrementar esse índice.

O que paula está fazendo corretamente?

Ela mantém um bom índice de cobertura de suas despesas, o que vai lhe permitir manter a calma no caso de uma demissão ou de um acidente. Entretanto, seu Índice de Endividamento está um pouco alto. À medida que ela amortizar o financiamento imobiliário, deverá reduzir esse índice.

O que paula está fazendo errado?

> Nota-se o comprometimento de quase 1/3 de seu salário líquido com o automóvel. Infelizmente, é uma situação muito comum no

Brasil. Se eu fosse a Paula, pensaria seriamente em reduzir essa despesa, talvez trocando o carro por outro mais barato.
- Existe uma nítida incoerência. Paula mantém aplicações financeiras ao mesmo tempo em que ainda paga juros de um financiamento de automóvel. Ela deverá quitar esse financiamento o quanto antes.

Quais devem ser os objetivos de Paula a curto prazo?

A curto prazo, Paula deve procurar adiantar a quitação do financiamento do carro e do financiamento imobiliário. Tudo o que ela conseguir poupar a partir de agora deve ser dirigido para a quitação de seus empréstimos. Mas ela não deve se desfazer de todas as suas aplicações financeiras, hoje em R$ 23.000,00. Parte desse valor deve ser mantido como reserva para emergência. Assim procedendo, Paula, diante de uma adversidade como a perda do emprego, não precisará usar o cheque especial nem o crédito pessoal, que têm taxas de juros muito altas.

E a longo prazo?

A longo prazo, Paula deve direcionar sua poupança para investimentos que lhe proporcionem um retorno mais alto. Recomendo-lhe investir em uma carteira de ações bem diversificada ou um VGBL.

"Agora eu posso controlar meu dinheiro..."

A partir do momento em que Paula viu seu balanço patrimonial e seu relatório de resultado do período, começou a entender para onde está indo seu dinheiro. Agora ela pode estabelecer metas com muito mais clareza e precisão.

Espero que você tenha percebido o grande potencial da Contabilidade em sua vida financeira. Faça hoje mesmo seu primeiro balanço patrimonial.

Capítulo 12

Como atingir a independência financeira?

A o longo das páginas deste livro, tive a oportunidade de apresentar a você tópicos que julgo serem fundamentais para tal objetivo. Sinteticamente, neste último capítulo, apontarei alguns dos principais passos nessa direção.

Primeiro passo: ganhe mais dinheiro

Busque formas de adicionar mais valor a seus clientes ou a seu patrão. Se você é dentista, pense em enviar uma mensagem a seus clientes a cada 6 meses alertando-os sobre a necessidade de uma revisão nos dentes. Muitas pessoas têm dificuldades em se lembrar desses exames rotineiros. Uma simples mensagem por mala direta ou por e-mail pode representar muito pouco trabalho diante do incremento na receita que você obterá. E os clientes vão ficar gratos pela atenção.

Se você não tem o seu próprio negócio, procure dar contribuições verdadeiras para o sucesso de seu contratante. Quanto mais deixar isso visível aos olhos de seus superiores, maiores são as chances de uma promoção ou de um aumento salarial.

Se não tem mais esperanças de conseguir um incremento na remuneração no emprego, considere firmemente a possibilidade de um negócio paralelo, que não tenha conflitos com seu principal emprego. Associe-se com familiares ou amigos; trabalhe durante as horas de lazer, por algum tempo; busque complementos na receita mensal até que os riscos de sair de seu emprego tradicional já não sejam tão relevantes. Nesse momento, você terá diante de si uma importante decisão. Ouça seu coração e vá em frente.

Segundo passo: poupe

Gaste menos do que ganha. Se você não estiver conseguindo isso, pare já! Pegue um pequeno caderno e anote, durante três meses, todos os gastos de sua família. Faça uma análise crítica e corte as despesas com atividades não essenciais para a saúde e a educação de sua família.

Terceiro passo: evite ter dívidas

Assim que conseguir gastar menos do que ganha (segundo passo), use todos os seus recursos para pagar as dívidas. Em um país como o Brasil, onde os juros têm sido exorbitantes, o endividamento das famílias ou das empresas deve ser próximo de zero.

Quarto passo: invista corretamente

Aproveite a "mágica" dos cálculos financeiros. Os juros compostos da renda fixa e o reinvestimento dos lucros nas ações levarão você a acumular montantes substanciais. Tenha sempre em mente objetivos de longo prazo. Considere fortemente colocar a maior parte de seu patrimônio em fundos de ações ou em uma carteira de ações bem diversificada. Seja firme nos momentos ruins das bolsas. Os corajosos e pacientes são muito bem recompensados.

Faça o compromisso de investir todos os meses pelo menos 10% de seus rendimentos em aplicações de longo prazo.

Quinto passo: tenha sua casa própria

Compre uma casa que lhe seja confortável. Mas não tenha pressa. Compre à vista ou construa. Fuja dos juros e dos riscos de quebra das construtoras. Não tenha preconceitos em relação ao aluguel. Se precisar, pague aluguel em um imóvel simples, sem luxos, mas bem localizado, até que você possa comprar algo definitivo para você. Lembre-se de que o aluguel permite aos solteiros e aos jovens casais uma enorme flexibilidade. Se você está pagando 8% ao ano sobre o valor do imóvel como aluguel, talvez não valha a pena pagar 12% ao ano de juros em um empréstimo imobiliário. Não há motivos para se apressar em comprar um imóvel só porque ele está "parcelado". Tenha muita calma nesse passo.

Sexto passo: faça seguro de vida e seguro-saúde

Se você tem filhos pequenos, faça bons seguros de vida. Diversifique. Faça seguros de vida não em apenas uma, mas em duas ou três seguradoras tradicionais e saudáveis. Aproveite para fazer seguros quando você ainda é jovem e saudável. Vai ser muito mais barato.

Procure saber em sua empresa ou associação de classe sobre a possibilidade de fazer seguro para incapacidade física parcial, não apenas incapacidade total. Assim, se você for vítima de acidente de trânsito, ou de ferimento em um assalto, ou ainda de uma doença que gere grave seqüela, incapacitando-o de exercer seu trabalho, você terá cobertura financeira.

Faça um bom plano de saúde para você, seus filhos e seus parentes mais idosos. Os preços dos tratamentos particulares de saúde são imensamente elevados. Se você tiver a infelicidade de enfrentar um problema desses, certamente perderá muitos anos em seu percurso. Não faça economia em saúde.

Sétimo passo: permita que você "coma algumas cenouras" ao longo da caminhada

Seguir os passos listados anteriormente não é tarefa simples. Crie sempre objetivos bem definidos e fortes incentivos para alcançá-los. Chamo isso de imaginar "cenouras", para que nós, os "coelhinhos", possamos nos desempenhar melhor, correndo dedicadamente para alcançá-las. Como nossos objetivos estão muito distantes, sugiro que você faça algumas concessões, oferecendo pequenos prêmios sempre que metas forem alcançadas. Um jantar especial com a família, uma viagem nas férias, um curso no exterior ou um dia em um *spa* podem significar muito nessa corrida. É importante que você tenha muito prazer no que está fazendo. Não faça de sua caminhada algo doloroso e penoso. Curta, alegremente, suas conquistas.

Oitavo passo: busque adquirir intensamente educação financeira

Freqüente boas livrarias e bancas de jornais. Procure comprar publicações que ensinem a você noções básicas de Matemática Financeira, Contabilidade, Economia e Direito. Esses conhecimentos serão muito úteis durante o percurso.

Acompanhe o desempenho dos fundos de investimentos. Leia as páginas de Economia dos jornais, mas não se assuste à toa. Não acredite em tudo o que você lê ou ouve; aprenda a filtrar as informações; muito do que se discute é irrelevante para suas aplicações de longo prazo. Há muito exagero no que se ouve ou lê.

Nono passo: se precisar, contrate a ajuda de um *personal advisor*

Embora não seja muito conhecido no Brasil, esse tipo de profissional é bastante popular nos Estados Unidos. Você pode ter o aconselhamento de um especialista neutro, que não está tentando vender-lhe seus próprios produtos financeiros ou imobiliários. Ele funciona como um técnico de natação ou um *personal trainer,* estimulando-o a atingir as metas estabelecidas.

Décimo passo: entenda que o dinheiro é apenas um meio, não o fim em si mesmo

Continue amigo de seus familiares e de seus colegas de trabalho. Seja solidário com os menos afortunados. A essa altura, fazer doações é muito gratificante. Ensine aos inexperientes o que de bom você conseguiu aprender em sua trajetória de vida.

E lembre-se: nunca desista de ser feliz!

Apêndice

Análise Fundamentalista

Para abrir e manter uma empresa são necessários recursos financeiros, isto é, dinheiro. Inicialmente, existem dois personagens que atuam como fontes desses recursos para a empresa: os acionistas e os credores.

Os acionistas (ou sócios) oferecem dinheiro em troca de uma participação nos lucros futuros da empresa. Eles irão receber dividendos, que é a parte do lucro distribuído periodicamente de volta para sócios. Os acionistas rezam para que a empresa dê lucros. A empresa não tem obrigação de lhes devolver nada se não houver lucro em suas atividades. Diz-se que o dinheiro oferecido pelos sócios é um capital de risco, isto é, um recurso dado por alguém disposto a correr o risco de não receber nada de volta.

Os acionistas interessam-se em participar dessa aventura somente se tiverem confiança de que os dirigentes da empresa são competentes e que o negócio que a empresa se propõe a fazer é viável. Eles acreditam que a empresa é capaz de gerar dinheiro suficiente para pagar todas as suas despesas e ainda fazer um lucro. Parte desse lucro é reinvestida na empresa, e parte é distribuída aos acionistas sob a forma de dividendos.

Recursos que são oferecidos pelos acionistas são chamados de **Capital Social**. Ele é fracionado em ações, de forma a representar a proporção com que cada sócio aportou recursos na empresa. Assim, um acionista que colocar 10% do capital da empresa receberá em troca 10% das ações.

Quem são os credores e o que eles desejam?

Outro personagem que atua como fonte de recursos financeiros para a nova empresa são os credores. Para esse papel, podem ser escalados os bancos, que financiam os projetos da empresa; os funcionários, que só recebem após ter trabalhado um mês inteiro; o governo que só cobra os impostos depois de um mês, e os fornecedores que vendem a prazo para a empresa. Esses recursos são chamados de **Capital de Terceiros**. Todos eles estão emprestando seus recursos para a empresa, na esperança de receberem uma remuneração, seja na forma de salários, de juros ou de aluguel.

Os credores têm o direito de exigir da empresa o pagamento dos compromissos assumidos por ela. Se ela não honrar o acordo, os credores podem acionar a Justiça, pedindo a falência da empresa. A propósito, falência implica liquidação da empresa, ou seja, a venda de todos os bens e direitos da empresa para pagar os credores.

No caso da liquidação da empresa, os credores têm preferência em relação aos acionistas. Assim, o dinheiro arrecadado com a venda dos bens e direitos da companhia paga prioritariamente as dívidas com os funcionários, com o governo, com os fornecedores e com os bancos. Os acionistas vão dividir as sobras, se elas existirem.

Resumo

Credores e acionistas oferecem recursos para a empresa, que irá trabalhar para produzir receitas. Com esse dinheiro recebido, as

Análise fundamentalista

> empresas pagam todos os credores nas datas combinadas. Se sobrar algo, tem-se o lucro líquido; parte dele fica retida na empresa para fazer reinvestimentos, e a outra parte é distribuída aos acionistas.

Como são calculados os lucros?

A Figura A.1 mostra uma Demonstração do Resultado do Exercício da Perdigão Sociedade Anônima em 1999:

Figura A.1 Demonstração do Resultado do Exercício da Perdigão

Demonstrações dos resultados para o exercício findo em 31 de dezembro de 1999	(valores por mil)
	CONSOLIDADO 1999
VENDAS	
Mercado interno	1.283.904
Exportações	517.152
RECEITA OPERACIONAL BRUTA	1.801.056
Deduções de vendas	(228.021)
RECEITA OPERACIONAL LÍQUIDA	1.573.035
Custo de vendas	(1.112.855)
LUCRO BRUTO	460.180
DESPESAS OPERACIONAIS	(267.429)
Vendas	(25.697)
Administrativas	(6.147)
Honorários dos administradores	(98.295)
Resultado da equivalência patrimonial	

Outros resultados operacionais	4.586
	(392.982)
LUCRO OPERACIONAL	67.198
Resultado não-operacional	(6.574)
LUCRO ANTES DOS IMPOSTOS E PART.	60.624
Provisão p/ imp. de renda e contrib. social	(12.562)
Participação dos administradores	(900)
LUCRO LÍQUIDO DO EXERCÍCIO	47.162
LUCRO LÍQUIDO POR MIL AÇÕES – R$	

Do lucro líquido de pouco mais de R$ 47 milhões, 27% foram distribuídos de volta para os acionistas da companhia. O restante foi reinvestido na empresa e irá reforçar o Capital Social sob a forma de Reservas. O Capital Social mais as Reservas constituem o Patrimônio Líquido da Perdigão, também chamado de **Capital Próprio**.

A ligação entre o Balanço Patrimonial e a Demonstração do Resultado é exposta na Figura A.2. Parte do Lucro Líquido fica retida na empresa e é levada para o Patrimônio Líquido sob a forma de Lucros Acumulados. Essa é a ligação entre os dois relatórios.

Figura A.2 Os Lucros acumulados são levados para o Patrimônio Líquido

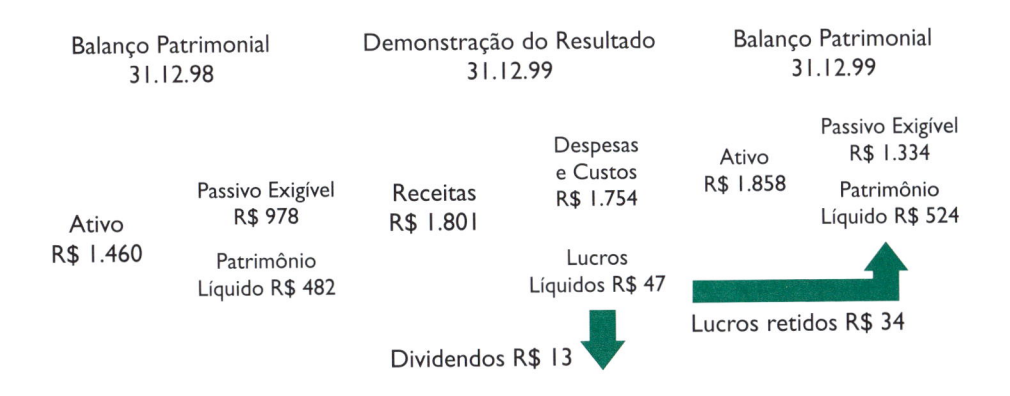

Balanço Patrimonial
31.12.98

Ativo R$ 1.460
Passivo Exigível R$ 978
Patrimônio Líquido R$ 482

Demonstração do Resultado
31.12.99

Receitas R$ 1.801
Despesas e Custos R$ 1.754
Lucros Líquidos R$ 47
Dividendos R$ 13

Balanço Patrimonial
31.12.99

Ativo R$ 1.858
Passivo Exigível R$ 1.334
Patrimônio Líquido R$ 524

Lucros retidos R$ 34

Em 31 de dezembro de 1999, o Capital Próprio da Perdigão era composto de 223.261.917 mil ações. Se dividirmos o valor total do Patrimônio Líquido (ou Capital Próprio) por esse número de ações, chegaremos à conclusão de que cada lote de 1.000 ações da Perdigão vale, contabilmente, R$ 2,35.

E onde são aplicados todos esses recursos?

O Capital Próprio e o Capital de Terceiros são totalmente aplicados no Ativo da Perdigão, isto é, em bens e direitos. O Ativo incluirá os prédios, terrenos, máquinas, escritórios, veículos, bem como as contas a receber dos clientes da empresa.

A Figura A.3 exibe os principais itens do Ativo da empresa. Ao lado dele, observe que o Capital Próprio e o Capital de Terceiros irão constituir o Passivo da companhia. A representação do Ativo e do Passivo é chamada de Balanço Patrimonial.

Figura A.3 Balanço Patrimonial da Perdigão

BALANÇO PATRIMONIAL EM 31 DE DEZEMBRO DE 1999	(valores por mil)
ATIVO	consolidado 1999
CIRCULANTE	
Disponibilidades	10.205
Aplicações financeiras	333.385
Clientes	138.935
Juros e dividendos	
Estoques	218.315
Outros direitos	49.508
Total do circulante	750.348
REALIZÁVEL A LONGO PRAZO	
Aplicações financeiras	324.497
Impostos diferidos	14.368
Outros direitos	10.374

Total do realizável a longo prazo	349.239
PERMANENTE	
Investimentos em controladas	
Outros investimentos	476
Imobilizado	726.358
Diferido	32.210
Total do permanente	759.044
Total do ativo	1.858.631

BALANÇO PATRIMONIAL EM 31 DE DEZEMBRO DE 1999	
PASSIVO	consolidado 1999
CIRCULANTE	
Instituições financeiras	303.405
Adiantamentos de contratos de câmbio	223.491
Debêntures	208
Fornecedores	111.558
Salários e obrigações sociais	35.401
Obrigações tributárias	19.801
Participações, juros e dividendos	6.503
Débitos com empresas ligadas	
Outras obrigações	18.176
Total do circulante	718.543
EXIGÍVEL A LONGO PRAZO	
Instituições financeiras	485.657
Adiantamentos de contratos de câmbio	9.354
Debêntures	41.217
Obrigações sociais e tributárias	7.019
Reservas para eventuais	73.178
Total do exigível a longo prazo	616.425

PATRIMÔNIO LÍQUIDO	
Capital realizado atualizado	415.4331
Reservas de capital	18
Reservas de lucros	108.212
Total do patrimônio líquido	523.663
Total do passivo	1.858.631

Enquanto o Capital Próprio é denominado de Patrimônio Líquido, o Capital de Terceiros é chamado de Passivo Exigível. O adjetivo "exigível" esclarece que esses recursos são cobrados pelos credores em uma determinada data. Já os recursos do Patrimônio Líquido ou Capital Próprio nunca serão exigidos pelos sócios, a não ser que a empresa encerre suas atividades e liquide (isto é, venda) seu Ativo.

Uma lei básica da Contabilidade exige que o total das aplicações da empresa (Ativo) seja exatamente igual ao total das fontes de recursos (Passivo). Assim, o Ativo Total será sempre igual ao Passivo Total.

O objetivo da empresa é produzir alimentos e vendê-los a seus clientes, auferindo receitas para pagar os salários, as matérias-primas, as despesas administrativas e os impostos, além de gerar uma atraente remuneração a seus acionistas sob a forma de dividendos.

Vou aprofundar um pouco a análise. O Ativo Total é subdividido em Ativo Circulante (caixa, contas a receber a curto prazo e estoques) e em Ativo Permanente (imóveis, investimentos de longa duração, máquinas, equipamentos, etc.). Observe que o Ativo Circulante é bem líquido, isto é, tudo é convertido rapidamente em dinheiro vivo. Já os bens e direitos do Ativo Permanente são de conversão mais lenta. É exatamente esse o critério para se ordenar em contas do balanço: **liquidez**. Os bens e direitos mais líquidos aparecem primeiro, e os bens e direitos menos líquidos ficam para o fim.

A liquidez também é usada para ordenar as contas do Passivo. As dívidas que vencem a curto prazo são relacionadas primeiro e vão constituir o Passivo Circulante. As contas que não precisam ser pagas, porque vêm a ser dinheiro dos acionistas (o Patrimônio Líquido), aparecem por último no Balanço Patrimonial.

Por que só 27% do lucro foram distribuídos sob a forma de dividendos?

Determinar quanto do lucro líquido deve ser distribuído aos acionistas é uma das principais decisões dos administradores de uma companhia. No Brasil, as taxas de juros têm sido muito altas. Nesse sentido, fica muito dispendioso utilizar recursos de terceiros. A fonte mais barata de recursos de uma companhia é reter os lucros e reinvesti-los no próprio negócio.

Se a empresa vem sendo bem administrada, obtendo boa rentabilidade em seus negócios, a retenção dos lucros pode ser muito boa para os acionistas. Eles ficarão contentes porque seus recursos estarão sendo reaplicados a uma taxa de retorno muito atraente.

Mas, se esse não for o caso, ou seja, se o acionista não estiver contente com a administração da empresa, ele pode vender a outros investidores sua participação na companhia. Essa é a forma mais direta que o capitalismo criou de se fazer um protesto. Se outros acionistas pensarem e agirem da mesma maneira, haverá uma superoferta de ações da companhia e os preços cairão, revelando ao mercado que há problemas na empresa e exigindo mudanças. Parece não ser essa a situação da Perdigão. Suas ações têm obtido boa valorização, conforme exibe a figura A.4.

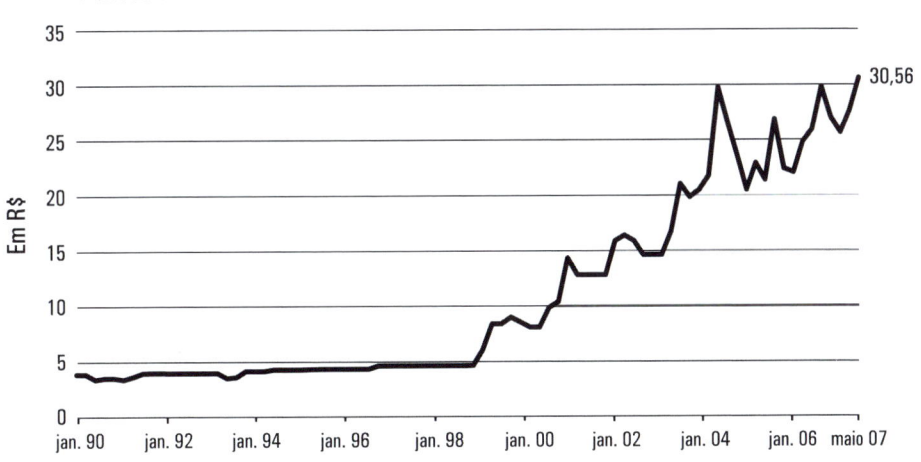

Figura A.4 Desempenho das ações da Perdigão
Período de maio de 2000 a maio de 2007

Mas quanto vale a empresa?

No fim de dezembro de 1999, a empresa foi avaliada pelo mercado por R$ 700 milhões. Esse é o resultado do produto do preço unitário da ação pela quantidade total de ações. Na Figura A.5, note que esse valor supera o valor do Patrimônio Líquido da companhia em cerca de 40%. Isso indica que o mercado está acreditando que a empresa deve gerar bons lucros no futuro e aceita pagar um ágio de cerca de 40% sobre o valor que a contabilidade atribui a cada ação da companhia.

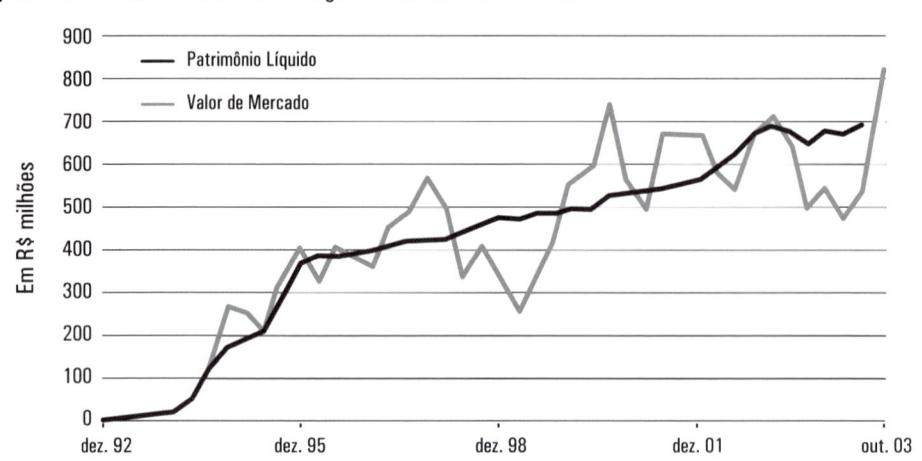

Figura A.5 Valor Contábil da Perdigão e seu valor de mercado

Quando se compra uma ação, adquire-se o futuro da empresa. O acionista está de olho no fluxo de dividendos que irá receber de hoje até o fim da vida da empresa. Uma estimativa do crescimento desses dividendos será fundamental para a determinação do valor justo de uma ação.

$$\text{Valor da Ação} = \frac{\text{Dividendo}_1}{(1 \mid i_1)} + \frac{\text{Dividendo}_2}{(1 \mid i_2)^2} + \ldots + \frac{\text{Dividendo}_n}{(1 \mid i_n)^n}$$

O valor de uma ação vem a ser o valor, no presente, do fluxo de dividendos que se prevê será gerado no futuro da empresa.

O QUE É CUSTO DE CAPITAL?

No denominador temos i, que vem a ser o custo de capital da empresa a cada ano. Ele é constituído por duas partes: o custo da dívida e o custo do capital dos acionistas. O custo da dívida é a média dos juros que a empresa paga a seus credores. Já o custo de capital dos acionistas baseia-se no retorno que os acionistas devem exigir para investir em ativos com risco semelhante ao proporcionado pela empresa em estudo.

O preço calculado pela contabilidade é baseado apenas no passado da empresa. Embora o Ativo registre todos os bens e direitos, pode ser que eles não estejam sendo bem utilizados. Talvez a empresa necessite fazer substanciais investimentos para renovar suas fábricas e manter-se competitiva. O acionista não deseja pagar por eventuais erros cometidos no passado. Ele só aceita colocar seu dinheiro na empresa se acreditar que o futuro dela é promissor, porque está comprando o futuro da empresa. Do contrário, não se arrisca e busca uma outra alternativa de investimento.

Perceba que o acionista deve ser bastante exigente com a empresa. Afinal, se ela vier a ser liquidada, o acionista será o último a receber alguma coisa. Em geral, nesses casos, não lhe sobra nada, e as ações passam a valer zero. Infelizmente, vimos isso acontecer no Brasil algumas vezes, com empresas famosas, que outrora tinham sido muito sólidas.

INDICADORES CONTÁBEIS

O mercado de capitais utiliza diversos indicadores para analisar o preço de uma ação. Os mais conhecidos são:

Retorno sobre o Patrimônio Líquido (Lucro Líquido/ Patrimônio Líquido): conhecido também como Rentabilidade do Capital Próprio ou Lucratividade, esse índice compara o lucro que a empresa está gerando com o Capital Próprio, isto é, com os recursos que pertencem aos acionistas. Esse índice procura avaliar se a empresa está gerando uma boa rentabilidade para os recursos dos acionistas. A Figura

A.6 revela a Rentabilidade sobre o Patrimônio Líquido nos últimos anos para a Perdigão.

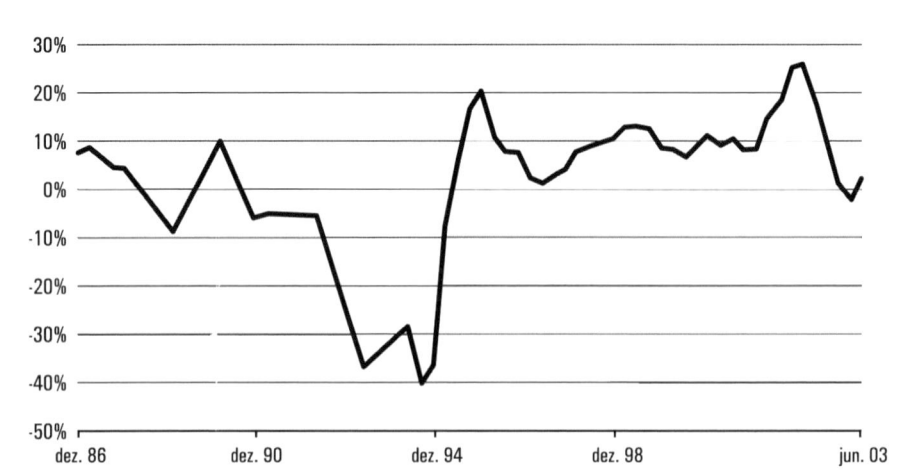

Figura A.6   Rentabilidade sobre o Patrmônio Líquido da Perdigão

Lucro por Ação: é a divisão do Lucro Líquido pela quantidade de ações emitidas pela empresa. Indica qual foi o lucro líquido gerado para cada ação da companhia. Quanto maior, melhor. A Figura A.7 revela o Lucro por Ação para a Perdigão nos últimos anos.

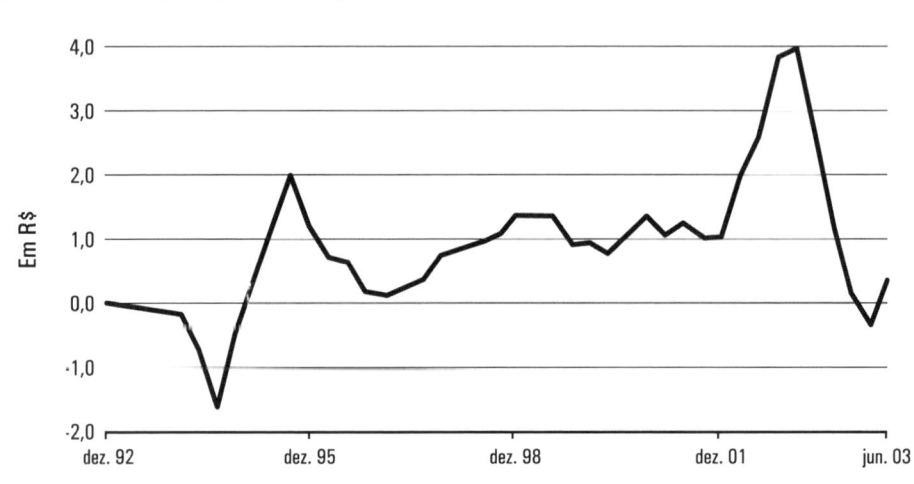

Figura A.7   Lucro por Ação da Perdigão

Índice de Liquidez Corrente (Ativo Circulante/Passivo Exigível Circulante): é a divisão entre o valor do Ativo de Curto Prazo (Ativo Circulante) e o do Passivo Exigível de Curto Prazo (Passivo Exigível Circulante). Indica quantas vezes os ativos mais líquidos (Ativo Circulante) superam os passivos de curto prazo (Passivo Circulante). A prática costuma recomendar que esse índice seja superior a 1, isto é, que o total do Ativo Circulante supere o total do Passivo Circulante. É um indicador de solvência da empresa, ou seja, da capacidade de a empresa cumprir seus compromissos de curto prazo.

Capital de Giro (Ativo Circulante – Passivo Circulante): esse indicador, tão comentado no mundo dos negócios, vem a ser a diferença entre o Ativo Circulante e o Passivo Circulante. Seu propósito é verificar o quanto sobra de ativos líquidos para a empresa se ela pagar todos os seus credores de curto prazo. É também um indicador de solvência da empresa.

Endividamento (Passivo Exigível/Ativo Total): mostra o grau de endividamento da empresa, isto é, que proporção do Ativo Total da empresa está sendo financiada pelos credores. Quando as taxas de juros estão altas, empresas com alto grau de endividamento são seriamente ameaçadas.

Giro do Ativo (Receitas/Ativo Total): revela quantas vezes o Ativo gira ao ano, ou seja, quantas vezes o faturamento da empresa supera o total dos investimentos feitos na empresa. Quanto maior esse índice, melhor. Observe que empresas que necessitam de grandes investimentos em prédios e equipamentos apresentam baixo giro do Ativo. Por outro lado, empresas enxutas, com pequenos investimentos fixos, podem apresentar giro elevado.

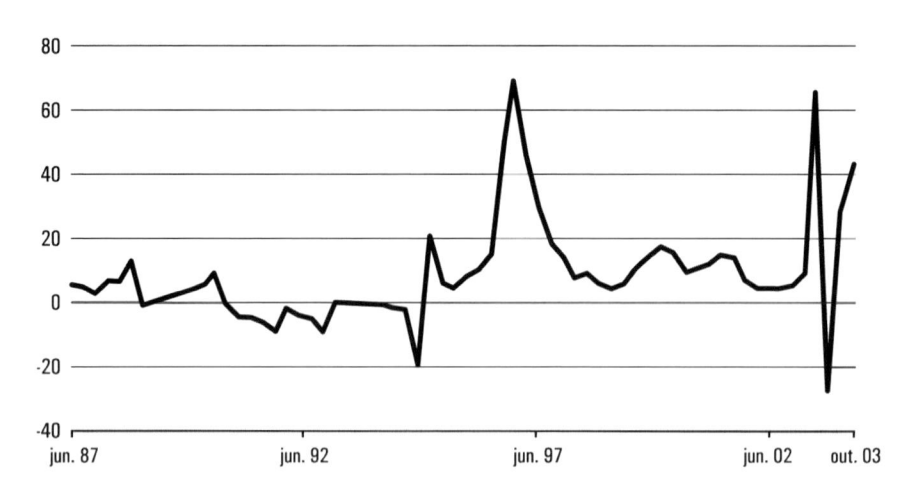

Figura A.8   Índice Preço/Lucro para a Perdigão

P/L (Preço/Lucro Anual por Ação): trata-se de um indicador muito popular no mercado de ações. Revela quantas vezes o preço de uma ação supera o lucro anual por ação que a empresa está gerando para cada uma delas. Ele é medido em anos e mostra em quanto tempo o preço a ser pago por uma ação poderá ser "devolvido" ao investidor sob a forma de lucros. Também conhecido como *payback* da ação. Quanto menor o P/L, mais barata está a ação em relação ao seu lucro. A Figura A.8 expõe a evolução desse indicador para a Perdigão.

Dividend Yield **(Dividendos/Preço da Ação):** revela o percentual do preço da ação que voltou ao acionista sob a forma de dividendos no último balanço.

Market Cap: é o valor de mercado da empresa. É calculado a partir da multiplicação da quantidade de ações da empresa pelo preço de mercado dessas ações.

Valor Contábil: é o valor do Patrimônio Líquido da empresa, isto é, a diferença entre o Ativo Total e o Passivo Exigível da empresa. Vem a ser o Capital Próprio ou Capital dos Acionistas da empresa, conforme calculado pela contabilidade. Note que ele pode ser muito diferente do Valor de Mercado da empresa.

Preço/Valor Patrimonial: comparação entre o Valor de Mercado da Empresa (Preço) e o Valor Patrimonial da Empresa (Patrimônio Líquido). A Figura A.9 retrata a evolução desse índice para a Perdigão.

Figura A.9   Comparação entre o preço de mercado e o valor contábil da ação da Perdigão
Preço/Valor Patrimonial

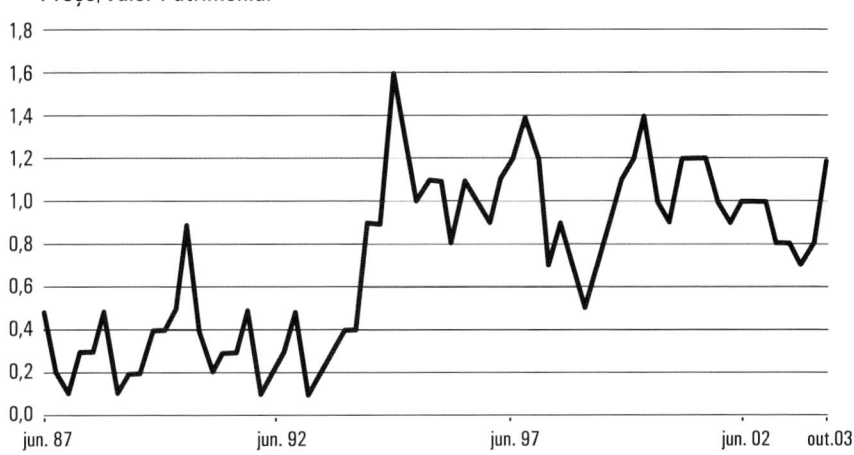

Devo dizer que esses indicadores nunca podem ser olhados isoladamente. Uma boa análise fundamentalista deve reunir todos eles. Adicionalmente, estudos estratégicos sobre o futuro da companhia, sobre seus concorrentes e sobre seu mercado consumidor devem integrar a análise.

Glossário

A

Ação – Título representativo da menor parcela em que se divide o capital de uma companhia.

Ação ordinária – Ação que proporciona participação nos lucros de uma empresa e confere a seu titular o direito de voto em assembléia.

Ação preferencial – Ação que oferece a seu detentor prioridade no recebimento de dividendos e de reembolso de capital no caso de dissolução da empresa. Em geral, não concede direito a voto em assembléia.

Acionista – Aquele que possui ações.

Acionista majoritário – Acionista que detém uma quantidade tal de ações com direito a voto que lhe permite manter o controle acionário de uma empresa.

Acionista minoritário – Aquele que é detentor de uma quantidade não expressiva de ações com direito a voto, não lhe permitindo controlar uma empresa.

B

Balanço – Demonstrativo contábil dos valores do ativo, do passivo e do patrimônio líquido de uma empresa.

Blue chip – Em geral, ações de empresas de grande porte com grande liquidez e procura no mercado de ações.

Bolsa de Valores – Associação civil, sem fins lucrativos, cujo objetivo básico é manter local adequado à realização de transações de compra e venda de títulos e valores mobiliários.

C

Capital – É a soma de todos os recursos destinados à constituição de uma empresa.
Carteira de ações – Conjunto de ações de diferentes empresas.
Certificado de Depósito Bancário (CDB) – Título emitido por bancos de investimentos e comerciais representativo de depósitos a prazo.
Comissão de Valores Mobiliários (CVM) – Autarquia federal que disciplina e fiscaliza o mercado de valores mobiliários.
Corretagem – Remuneração de um intermediário financeiro na compra ou venda de títulos.
Custo de Oportunidade – O rendimento que um recurso poderia obter em um uso alternativo.
Custódia fungível – Serviço em que os valores mobiliários retirados podem não ser os mesmos depositados, embora sejam da mesma espécie, qualidade e quantidade.

D

Depreciação – É a desvalorização de um bem em função do uso e da obsolescência.
Dividendo – Valor distribuído aos acionistas, em dinheiro, na proporção da quantidade de ações possuídas. Normalmente, é resultado dos lucros de uma empresa.

E

Especulação – Negociação em mercado com o objetivo de ganho a curto prazo.

F

Fundo Mútuo de Ações – Conjunto de recursos administrados por uma instituição que os aplica em uma carteira de ações, distribuindo os resultados aos cotistas proporcionalmente ao número de cotas que cada um possui.

I
Índice Bovespa – Índice da Bolsa de Valores de São Paulo. É o indicador do desempenho médio das cotações do mercado de ações.

L
Liquidez – Maior ou menor facilidade de se negociar um bem, convertendo-o em dinheiro.

M
Mercado primário – Mercado em que as empresas vendem ações a investidores.
Mercado secundário – Mercado em que os acionistas vendem suas ações para outros investidores.

O
Oscilação – Variação (positiva ou negativa) verificada no preço de um mesmo ativo em um determinado período de tempo.

P
Patrimônio Líquido – Diferença entre o valor total dos bens e direitos de uma empresa e o valor das dívidas com terceiros.
Poupança – Renda pessoal disponível menos gastos em consumo.

V
Valor patrimonial da ação – Resultado da divisão entre Patrimônio Líquido e o número de ações da empresa.
Volatilidade – Indica o grau de variação dos preços de um ativo em um determinado período.

Leituras recomendadas

- BEI COMUNICAÇÕES. *Como cuidar do seu dinheiro*. São Paulo, 2000.
- BREALEY, Richard A.; Myers, Stewart C. *Princípios de Finanças Empresariais*. 3. ed. Portugal: McGraw-Hill.
- COPELAND, Thomas; Koller; Tim; Murrin, Jack. *Avaliação de Empresas*. São Paulo: Makron Books, 1999.
- DAMODARAN, Aswath. *Avaliação de investimentos:* ferramentas e técnicas para a determinação do valor de qualquer ativo. Rio de Janeiro: Qualitymark, 1999.
- EQUIPE DE PROFESSORES DA FEA, USP. *Contabilidade Introdutória*. 9. ed. São Paulo: Atlas, 1998.
- FORTUNA, Eduardo. *Mercado Financeiro:* produtos e serviços. 10. ed. Rio de Janeiro: Qualitymark, 2000.
- FRANKENBERG, Louis. *Seu Futuro Financeiro*. 2. ed. Rio de Janeiro: Campus, 1999.
- HAZZAN, Samuel; POMPEO, José Nicolau. *Matemática Financeira*. 4. ed. São Paulo: Atual, 1993.
- LUQUET, Mara. *Guia Valor Econômico de Finanças Pessoais*. São Paulo: Globo, 2000.
- MARION, José Carlos. *Contabilidade Básica*. 6. ed. São Paulo: Atlas, 1998.
- ROSS, Stephen; WESTERFIELD, Randolph W. *Princípios de Administração Financeira*. 2. ed. São Paulo: Atlas, 2001.
- SILVA, César Augusto Tibúrcio; TRISTÃO, Gilberto. *Contabilidade básica*. 2. ed. São Paulo: Atlas, 2000.

O livro *Investimentos* – como administrar melhor seu dinheiro objetiva apenas informar o leitor.
Este material não deve ser interpretado como uma indicação de investimento ou como uma oferta para comprar ou vender títulos e valores mobiliários.

Conheça também outros livros da **Fundamento**

EDITORA FUNDAMENTO

www.editorafundamento.com.br
Atendimento: (41) 3015.9700

▶ SEU IMÓVEL COMO COMPRAR BEM

Mauro Halfeld

A compra de um imóvel é o maior negócio de muitas famílias brasileiras. Entretanto, é raro conseguir orientações imparciais e equilibradas sobre o mercado imobiliário. Do mesmo autor do livro de sucesso *Investimentos - como administrar melhor seu dinheiro*, Mauro Halfeld, que, novamente, apresenta aos leitores informações de uma maneira objetiva, didática e reveladora. - Uma leitura agradável, leve e bem-humorada ajuda o leitor a descobrir a melhor estratégia para comprar a casa própria e investir em imóveis. - Análises corporativas das vantagens de investir em cada tipo de imóvel. - Dicas para quem vai comprar um imóvel usado e orientações sobre o que a lei exige para quem está comprando e ou vendendo uma casa.

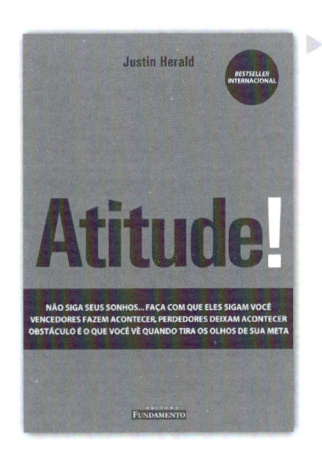

▶ ATITUDE !

Justin Herald

Aos 25 anos de idade e com apenas $50 no bolso, Justin Herald decidiu que tentaria abrir o próprio negócio. Sem experiência, ele fundou a Attitude Gear®, que hoje fatura milhões de dólares com produtos vendidos em todo o mundo. Aos 31 anos, já aposentado e cercado de sucesso, Justin acredita que todos temos o potencial para obter êxito na vida e que a única barreira que há em nosso caminho é nossa ATITUDE. Desvende os segredos do sucesso e daquela atitude de "eu posso fazer qualquer coisa que decidir", para conseguir alcançar seus objetivos e realizar seus sonhos. Afinal, a vida é feita de 1% de inspiração, 99% de transpiração... e 100% de ATITUDE.

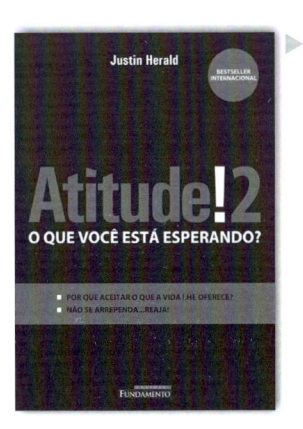

▶ ATITUDE 2!

Justin Herald

Qual o sacrifício que você está disposto a fazer para ter sucesso? Em *Atitude! 2*, Justin Herald desafia o leitor a se auto-superar e a trilhar o verdadeiro caminho para ser bem-sucedido. A ordem natural é derrubar as barreiras, mantendo-se concentrado firmemente em seus propósitos, em seus objetivos de vida. Sucesso não é apenas uma palavra de sete letras, é um estilo de vida. Antes, é preciso avaliar o que está errado e mudar. Transformar ruim em bom, bom em ótimo, fracasso em sucesso! Tome uma ATITUDE! Leia.

IMPRESSÃO:

PALLOTTI
GRÁFICA

Santa Maria - RS | Fone: (55) 3220.4500
www.graficapallotti.com.br